O Monge e o
Executivo

James C. Hunter

O Monge e o Executivo

uma história sobre a essência da liderança

11ª Edição

SEXTANTE

Título original em inglês: *The Servant*
Copyright © 1998 por James C. Hunter
Copyright da tradução © 2004 por Editora Sextante (GMT Editores Ltda.)
Publicado em acordo com Prima Publisher, uma divisão da Randon House, Inc.

tradução
Maria da Conceição Fornos de Magalhães

preparo de originais
Regina da Veiga Pereira

revisão
Clara Diament
Sérgio Bellinello Soares

projeto gráfico e diagramação
Ana Paula Pinto da Silva
Valéria Facchini de Mendonça

capa
Victor Burton

fotolitos
R R Donnelley América Latina

impressão e acabamento
Geográfica e Editora Ltda

CIP-BRASIL. CATALOGAÇÃO-NA-FONTE
SINDICATO NACIONAL DOS EDITORES DE LIVROS, RJ

H922m   Hunter, James C.
           O monge e o executivo
           /James C. Hunter; [tradução Maria da Conceição Fornos de Magalhães] – Rio de Janeiro:
           Sextante, 2004.

              Tradução de: The servant
              ISBN 85-7542-102-6

              1. Liderança. 2. Liderança – Aspectos morais e éticos.
           I. Título.

03-2640.   CDD 303.34
                                                 CDU 316.46

Todos os direitos reservados, no Brasil, por
Editora Sextante (GMT Editores Ltda.)
Rua Voluntários da Pátria, 45 – Gr. 1.404 – Botafogo
22270-000 – Rio de Janeiro – RJ
Tel.: (21) 2286-9944 – Fax: (21) 2286-9244
Central de Atendimento: 0800-22-6306
E-mail: atendimento@esextante.com.br
www.sextante.com.br

Sumário

Prólogo

As idéias que defendo não são minhas. Eu as tomei emprestadas de Sócrates, roubei-as de Chesterfield, furtei-as de Jesus. E se você não gostar das idéias deles, quais seriam as idéias que você usaria? — DALE CARNEGIE

A ESCOLHA FOI MINHA. Ninguém mais é responsável por minha partida.

Olhando para trás, acho quase impossível acreditar que eu – um superocupado gerente-geral de uma grande indústria – tenha deixado a fábrica para passar uma semana inteira num mosteiro ao norte de Michigan. Sim, foi isso mesmo. Um mosteiro autêntico, cercado por um belíssimo jardim, com frades, cinco serviços religiosos por dia, cânticos, liturgias, comunhão, alojamentos comunitários. Por favor, compreenda, não foi fácil. Eu resisti o quanto pude, esperneando de todas as maneiras. Mas, afinal, escolhi ir.

"SIMEÃO" era um nome que me perseguia desde que nasci.

Quando criança, fui batizado na igreja luterana local. A certidão de batismo mostrava que o versículo da Bíblia escolhido para a cerimônia pertencia ao segundo capítulo de Lucas, a respeito de um homem chamado Simeão. De acordo com Lucas, Simeão foi "um homem muito correto e devoto, possuído pelo Espírito Santo". Aparentemente ele teve uma inspiração sobre a vinda do Messias ou qualquer coisa do gênero que nunca entendi. Este foi meu primeiro encontro com Simeão.

Ao final da oitava série fui crismado na igreja luterana. O pastor escolheu um verso da Bíblia para cada candidato à confirmação, e quando chegou minha vez leu em voz alta o mesmo trecho de Lucas sobre Simeão. "Coincidência bem estranha", lembro-me de ter pensado na época.

Logo depois – e durante os vinte e cinco anos seguintes – tive um sonho recorrente que acabou me atemorizando. No sonho, é tarde da noite e eu estou completamente perdido, correndo num cemitério. Embora não possa ver o que está me perseguindo, sei que é o mal, alguma coisa querendo me causar grande dano. De repente, um homem vestido com um manto negro aparece na minha frente, vindo de trás de um grande crucifixo de concreto. Quando esbarro nele, o homem muito velho me agarra pelos ombros, olha-me nos olhos e grita: "Ache Simeão – ache Simeão e ouça-o!" Eu sempre acordava nessa hora, suando frio.

Para completar, no dia do meu casamento o pastor se referiu a essa figura bíblica durante sua breve homilia. Fiquei tão atordoado que cheguei a confundir-me na hora de pronunciar os votos, o que foi bastante constrangedor.

Na realidade, eu nunca soube ao certo se havia algum significado para todas essas "coincidências" envolvendo o nome de Simeão. Minha mulher, Raquel, sempre esteve convencida de que havia.

No final dos anos 1990, eu me sentia num momento de glória. Estava empregado em uma importante indústria de vidro plano e era gerente-geral de uma fábrica com mais de quinhentos funcionários e mais de cem milhões de dólares em vendas anuais. Quando fui promovido ao cargo, tornei-me o mais jovem gerente-geral da história da companhia, fato de que ainda muito me orgulho. Tinha bastante autonomia de trabalho e um bom salário, acrescido de bônus sempre que atingisse as metas da empresa.

Eu e Rachel, minha linda mulher com quem estou casado há dezoito anos, nos conhecemos na Universidade Valparaíso, no estado de Indiana, onde me formei em Administração de Empresas, e ela, em Psicologia. Queríamos muito ter filhos e lutamos contra a infertilidade durante vários anos, de todas as maneiras. Rachel sofria muito com a infertilidade, e nunca abandonou a esperança de ter filhos. Muitas vezes a surpreendi rezando, pedindo um filho.

Então, em circunstâncias raras mas maravilhosas, adotamos um menino assim que nasceu, lhe demos o nome de John (como eu) e ele se tornou nosso "milagre". Dois anos depois, Rachel inesperadamente ficou grávida, e Sara, nosso outro "milagre", nasceu.

Aos quatorze anos, John Jr. estava iniciando a nona série, e Sara, a sétima. Desde o dia em que adotamos John, Rachel passou a trabalhar em seu consultório de psicologia apenas um dia na semana, pois achávamos que era importante ela dedicar-se o mais possível a nosso filho. Por outro lado, esse dia de trabalho lhe proporcionava uma pausa na rotina de mãe, permitindo que ela mantivesse sua prática profissional. A vida parecia muito equilibrada em todos os sentidos, e nós nos sentíamos gratos por isso.

Além do apartamento na cidade, tínhamos uma casa muito bonita à beira do lago Erie, onde navegávamos num barco à vela ou que percorríamos em jet ski. Havia dois carros novos na garagem, tirávamos férias duas vezes por ano, e ainda conseguíamos acumular uma poupança respeitável.

Como eu disse, aparentemente a vida era muito boa, cheia de muitas satisfações.

MAS É CLARO que as coisas não são exatamente como parecem ser. Sem que eu me desse conta, minha família estava se desestruturando. Um dia Rachel veio me dizer que vinha se sentindo infeliz no casamento há algum tempo e que suas "necessidades" não estavam sendo satisfeitas. Eu mal pude acreditar! Pensava que lhe dava tudo o que uma mulher podia desejar. Que outras necessidades ela poderia ter?

O relacionamento com os filhos também não ia bem. John Jr. estava ficando cada vez mais malcriado e agressivo com a mãe. Certa vez ele me deixou tão transtornado, que quase bati no meu filho, o que me fez muito mal. John manifestava sua rebeldia opondo-se a tudo o que lhe falávamos e, ainda por cima, colocou um brinco na orelha. Foi preciso Rachel intervir para que eu não o expulsasse de casa. Seu relacionamento comigo se resumia a grunhidos e acenos de cabeça.

Sara também estava diferente. Nós sempre tivéramos uma ligação especial, e meus olhos ainda se enchem de água quando penso na menininha tão carinhosa comigo. Mas agora ela parecia distante e eu não compreendia a razão. Rachel sugeria que eu conversasse com Sara a respeito dos meus sentimentos, mas eu parecia "não ter tempo", ou, mais honestamente, coragem.

Meu trabalho, a única área de minha vida onde eu estava seguro do meu sucesso, também passava por uma mudança. Os empregados horistas da fábrica recentemente tinham feito campanha para que um sindicato os representasse. Durante a campanha houve muito atrito e desgaste, mas felizmente a companhia conseguiu vencer a eleição por uma margem estreita de votos. Fiquei animado com o resultado, mas meu chefe não gostou do que acontecera e deu a entender que se tratava de um problema de gerenciamento da minha responsabilidade. Não aceitei a acusação, pois estava convencido de que o problema não era meu, mas desses sindicalistas que nunca se davam por satisfeitos. A gerente de recursos humanos, solidária comigo, sugeriu com seu jeito meigo que eu examinasse meu estilo de liderança. Isso me irritou profundamente! O que é que ela entendia de gerenciamento e liderança? Eu a considerava uma mulher cheia de teorias, enquanto eu só me preocupava com resultados.

Decididamente eu estava passando por um período difícil. Até o time da Pequena Liga de Beisebol, que eu treinava há seis anos como voluntário, parecia estar contra mim. Apesar das nossas muitas vitórias, vários pais reclamaram ao chefe da Liga que seus filhos não se divertiam. Dois casais até exigiram que seus filhos fossem transferidos para outros times. Eu não conseguia compreender o que estava acontecendo, mas tudo isso mexeu muito com meu ego.

E houve mais. Eu sempre fui o tipo de sujeito feliz e despreocupado, mas agora me via preocupado com praticamente tudo. Apesar do status e de todo o bem-estar que usufruía, por dentro era só tumulto e conflito. Fui me tornando melancólico e retraído. Até pequenas irritações e contrariedades me aborreciam além da conta. De fato, parecia que todo mundo me aborrecia. Eu me irritava até comigo mesmo.

Mas era orgulhoso demais para compartilhar meus problemas com os outros. Resolvi disfarçar, mantendo uma atitude descontraída, tentando enganar a todos. A todos, menos Rachel.

MUITO ANGUSTIADA, Rachel sugeriu que eu conversasse com o pastor de nossa igreja. Resisti, porque nunca tinha sido um sujeito religioso e não queria que a igreja interferisse na minha vida. Mas ela insistiu e resolvi atender ao seu pedido.

O pastor sugeriu que eu me afastasse durante alguns dias para tentar refletir e colocar ordem nas coisas. Ele recomendou que eu participasse de um retiro num pequeno e relativamente desconhecido mosteiro cristão chamado João da Cruz, localizado perto do lago Michigan. Explicou que o mosteiro abrigava de trinta a quarenta frades da Ordem de São Bento, nome de um frade do século sexto que idealizou a vida monástica "equilibrada". Agora, como nos catorze séculos anteriores, os frades viviam centrados em três premissas – oração, trabalho e silêncio.

Ouvi aquilo sem dar maior importância, e certo de que jamais seguiria a sugestão. Mas, quando estava saindo, o pastor disse que um dos frades era Leonard Hoffman, um ex-executivo de uma das maiores empresas dos Estados Unidos. *Aquilo* chamou minha atenção. Eu sempre quisera saber o que tinha sido feito do lendário Len Hoffman.

QUANDO CHEGUEI EM CASA e contei a Rachel o que o pastor sugerira, ela sorriu entusiasmada: "Isso é exatamente o que eu ia sugerir a você, John! Eu vi uma entrevista no programa da Oprah exatamente na semana passada com homens de negócios e mulheres que fizeram retiros espirituais para organizar suas vidas. Não pode ser uma coincidência. Para mim é um sinal de que você está destinado a ir."

Rachel muitas vezes fazia comentários como esse, que me irritavam muito. "Destinado" a ir? O que queria dizer isso?

Para encurtar a história, concordei relutante em fazer o retiro na primeira semana de outubro. No fundo eu temia que Rachel me deixasse se eu não fizesse *alguma coisa*. Rachel dirigiu durante seis horas até o mosteiro, e eu me mantive silencioso por quase toda a viagem, demonstrando que não estava feliz com a perspectiva de passar uma semana num mosteiro sombrio, e que fazia aquele enorme sacrifício por ela.

Chegamos à entrada de João da Cruz ao anoitecer. Passamos pelo portão e subimos o morro, parando num pequeno estacionamento perto de um velho edifício de madeira onde ficava a recepção. Havia algumas construções menores espalhadas em torno da propriedade, todas sobre um penhasco que ficava uns seiscentos metros acima do lago Michigan. O cenário era lindo, mas eu não disse nada a Rachel, querendo que ela tomasse contato com meu sofrimento.

– Cuide das crianças e da casa, meu amor – eu disse um tanto friamente enquanto pegava a bagagem na mala do carro. – Ligarei para você quarta-feira à noite. Quem sabe depois desta semana eu me torne o cara perfeito que você quer que eu seja e então desista de tudo para virar frade?

– Muito engraçado, John – ela respondeu enquanto me abraçava e beijava. Depois, entrou no carro e se afastou deixando para trás uma nuvem de poeira.

PEGUEI A MALETA e me dirigi ao edifício de entrada. Lá, encontrei uma área de recepção mobiliada com simplicidade, muito limpa, onde um homem de meia-idade falava ao telefone. Ele usava um hábito preto preso na cintura por um cordão.

Assim que desligou o telefone, voltou-se para mim e apertou minha mão calorosamente. – Sou o padre Peter, ajudo a dirigir a casa de hóspedes. Você deve ser John Daily.

— Sou eu mesmo, Peter. Como é que você sabia? — respondi, não querendo tratá-lo de "padre".

— Apenas um palpite baseado no formulário que seu pastor nos enviou — ele respondeu com um sorriso caloroso.

— Quem é o encarregado daqui? — o gerente dentro de mim queria saber.

— Irmão James é nosso reitor há vinte anos.

— O que é um reitor?

— O reitor é o líder que elegemos. É ele que dá a palavra final em todos os assuntos referentes à nossa pequena comunidade. Talvez você tenha a oportunidade de conhecê-lo.

— Eu gostaria de pedir um quarto de solteiro para esta semana, Peter, se for possível. Trouxe trabalho para fazer e gostaria de ter alguma privacidade.

— Infelizmente, John, temos apenas três quartos lá em cima. Os hóspedes desta semana são três homens e três mulheres, o que significa que as mulheres ficarão no quarto número um, o maior de todos. O hóspede do exército ficará com o quarto número dois só para ele, e você dividirá o de número três com Lee Buhr — ele é ministro batista de Pewaukee, no Wisconsin. Lee chegou há duas horas e já está instalado. Quer saber mais alguma coisa?

— Quais são as festividades programadas para a semana? — A pergunta era meio sarcástica.

— Além das cinco cerimônias religiosas diárias, teremos aulas durante sete dias, começando amanhã de manhã e continuando até a manhã de sábado. As aulas serão dadas neste edifício, das nove às onze da manhã e das duas às quatro da tarde. Nas horas vagas, você pode passear, ler, estudar, conversar com nossos guias espirituais, descansar, ou fazer o que desejar. A única área interditada é a clausura, onde os frades comem e dormem. Há algo mais que você queira saber, John?

— Estou curioso para entender por que você se refere a alguns frades como "irmão" e a outros como "padre".

— Os chamados de "padre" são sacerdotes ordenados, ao passo que os "irmãos" são leigos de diferentes setores. Todos nós fizemos votos de trabalhar juntos e compartilhar nossas vidas. Os trinta e três irmãos e padres têm igual status aqui. Nossos nomes são dados pelo reitor quando fazemos nossos votos. Eu cheguei aqui vindo de um orfanato há quarenta anos, e depois da formação e dos votos recebi o nome de Peter.

Finalmente, eu disse aquilo que mais me interessava: – Eu gostaria de conhecer Len Hoffman e conversar sobre alguns assuntos com ele. Ouvi dizer que ele veio para cá há alguns anos para juntar-se ao seu pequeno grupo.

– Len Hoffman, Len Hoffman – Peter repetiu, buscando na memória. – Ah, já sei quem é. Ele também tem um nome diferente agora, e estou certo de que gostará de conversar com você. Encaminharei o seu pedido, mas é ele quem vai dar o curso de liderança para sua turma esta semana. Tenho certeza de que você gostará muito da aula, todo mundo sempre gosta. Boa noite, durma bem, John, espero vê-lo na cerimônia religiosa das cinco e meia da manhã. – Quando eu começava a subir a escada, padre Peter acrescentou: – A propósito, John, há dez anos o reitor deu a Len Hoffman o nome de irmão Simeão.

Sentindo-me um tanto atordoado, parei no topo da escada, pus a cabeça para fora da janela e inspirei ar fresco. Era quase noite escura e ouviam-se as ondas do lago Michigan batendo na praia lá embaixo. O vento do oeste uivava e as folhas secas do outono produziam nas árvores enormes um som que eu amava desde criança. Podia ver clarões de relâmpagos no horizonte sobre o lago enorme e escuro, e também ouvia os sons distantes de trovoadas.

Tinha uma sensação estranha, não desconfortável ou assustadora, apenas uma sensação de já ter vivido um momento semelhante. "Irmão Simeão?", pensei. "Que coisa esquisita."

Fechei a janela e caminhei vagarosamente pelo corredor, procurando meu quarto. Silenciosamente, abri a porta marcada com o número três.

Uma luz fraca, alaranjada, me mostrou um quarto pequeno porém acolhedor, com duas camas, duas escrivaninhas e um pequeno sofá. Por uma porta entreaberta divisei o banheiro anexo. O pregador batista já estava dormindo e roncava suavemente, enroscado na cama perto da janela.

De repente me senti muito cansado. Rapidamente tirei a roupa, vesti uma calça de malha, programei o despertador de bolso para as cinco horas e fui para a cama. Cansado como estava, não acreditava que seria capaz de levantar tão cedo para assistir à cerimônia religiosa, mas deixei o despertador ligado num bom esforço de fé.

O corpo estava cansado, mas a mente funcionava loucamente. "Ache Simeão e ouça-o!" Irmão Simeão? Eu o encontrei? Que espécie de coincidência poderia ser esta? Como me meti nisto? "Você deve estar destinado a ir", cinco cerimônias religiosas por dia, eu mal posso suportar duas por mês! O que vou fazer comigo mesmo a semana toda? Meu sonho... como será Simeão? O que terá para me dizer? Por que estou aqui? "Ache Simeão e ouça-o."

A próxima coisa que percebi foi o toque do meu despertador.

CAPÍTULO UM

As Definições

Estar no poder é como ser uma dama. Se tiver que lembrar às pessoas que você é, você não é. — MARGARET THATCHER

— BOM DIA — MEU COMPANHEIRO DE QUARTO alegremente me disse, ainda na cama, antes mesmo que eu desligasse o despertador. — Sou o pastor Lee, de Wisconsin. E você, quem é?

— John Daily. Prazer em conhecê-lo, Lee. — Eu não quis chamá-lo de "pastor".

— É melhor nos vestirmos, se é que vamos à cerimônia das cinco e meia.

— Vá em frente. Vou dormir mais um pouquinho — resmunguei, tentando parecer sonolento.

— Fique à vontade, parceiro. — Vestiu-se e saiu em minutos.

Virei de lado, cobri a cabeça com o travesseiro, mas logo descobri que estava bem desperto e sentindo um pouco de culpa. Então, rapidamente me lavei, me vesti e saí para procurar a capela. Ainda estava escuro, e o chão, molhado da tempestade que devia ter caído à noite.

Eu mal conseguia ver a silhueta do campanário desenhada contra o céu da madrugada no meu caminho para a capela. Uma vez dentro, descobri que a estrutura de madeira velha e hexagonal estava impecavelmente conservada. As paredes eram lindamente adornadas com janelas de vidro colorido, cada uma retratando uma cena diferente. O teto alto, como o de uma catedral, se erguia acima das seis paredes e convergia no centro para formar o campanário. Havia centenas de velas queimando por todo o santuário, espalhando sombras nas paredes e nos vidros coloridos, criando um interessante caleidoscópio de formas e matizes. Do lado oposto à porta de entrada havia um altar simples constituído de uma pequena mesa de madeira com os vários implementos usados durante a missa. Bem em frente ao altar e formando um semicírculo em torno dele dispunham-se três fileiras de onze cadeiras simples de madeira destinadas aos trinta e três frades. Apenas uma das cadeiras com um grande crucifixo entalhado no espaldar tinha braços. "Reservada para o reitor", pensei. Ao longo de uma das paredes adjacentes ao altar havia seis cadeiras dobráveis que eu deduzi serem para uso dos participantes do retiro. Silenciosamente, me encaminhei para uma das três cadeiras vazias e me sentei.

Meu relógio marcava cinco e vinte e cinco, mas apenas a metade das trinta e nove cadeiras estava ocupada. Num total silêncio, o único som era o tique-taque melódico de um enorme relógio antigo na parte de trás da capela. Os frades vestiam longos hábitos pretos com cordões amarrados na cintura, enquanto os participantes do retiro usavam roupas informais. Às cinco e meia todos os assentos estavam ocupados.

Quando o enorme relógio começou a bater a meia hora, os frades se levantaram e começaram a cantar uma liturgia, felizmente em inglês. Os participantes do retiro receberam folhetos para acompanhar, mas eu me vi perdido virando as páginas para a frente e para trás, numa tentativa inútil de procurar o texto entre as várias seções de antífonas, salmos, hinos e respostas cantadas. Finalmente desisti de procurar e apenas fiquei sentado ouvindo o canto gregoriano de que gostava especialmente.

Depois de aproximadamente vinte minutos, a cerimônia terminou tão repentinamente quanto havia começado, e os frades seguiram o reitor para fora da igreja em fila indiana. Olhei para os rostos, tentando distinguir Len Hoffman. Qual deles seria?

LOGO DEPOIS da cerimônia religiosa, caminhei em direção à pequena biblioteca, bem pertinho da capela. Eu queria fazer uma pesquisa na Internet, e um frade velho e extremamente solícito me mostrou como conectar.

Havia mais de mil itens sobre Leonard Hoffman. Depois de uma hora de busca, encontrei um artigo sobre ele em um número da revista *Fortune* de dez anos atrás e o li, fascinado.

Len Hoffman formara-se em Administração de Empresas pela Faculdade Lake Forrest State, em 1941. Pouco depois, os japoneses atacaram Pearl Harbor, tirando a vida de seu melhor amigo de infância – um golpe arrasador que o levou a juntar-se aos milhares de jovens que se alistaram nessa ocasião. Hoffman entrou para a Marinha como oficial comissionado e rapidamente galgou postos até ser promovido a comandante de uma lancha destinada a patrulhar as ilhas Filipinas. Em missão de rotina, mandaram-no prender uma dúzia de japoneses, inclusive três oficiais que se haviam rendido depois de uma luta feroz em sua área de patrulhamento. Hoffman recebera ordem de mandar os oficiais japoneses e seus homens se despirem para serem algemados, colocados na lancha patrulheira e transportados a um destróier afastado alguns quilômetros da costa. Apesar da animosidade que pudesse ter em relação aos japoneses que tinham matado seu amigo em Pearl Harbor, Hoffman impediu que os oficiais e seus homens fossem humilhados e permitiu que fossem transportados sob vigilância, mas vestidos com seus uniformes.

A desobediência à ordem de seu superior colocou-o em maus lençóis, mas essa situação foi logo superada. O único comentário de Hoffman sobre o evento foi: "É importante tratar outros seres humanos exatamente como você gostaria que eles o tratassem." Hoffman foi muito condecorado antes da baixa no final da guerra.

O artigo dizia que no mundo dos negócios Hoffman era muito conhecido e respeitado como executivo, e sua habilidade para liderar e motivar pessoas tornou-se lendária nos círculos empresariais. Ficou conhecido como a pessoa capaz de transformar várias companhias à beira do colapso em negócios de sucesso. Foi autor do best-seller *The Great Paradox: To Lead You Must Serve* (O grande paradoxo: Para liderar você deve servir), um livro simples de duzentas páginas que permaneceu entre os cinqüenta mais vendidos do *New York Times* durante três anos e por mais cinco na lista dos dez mais vendidos do *USA Today*.

A última realização de Hoffman no mundo dos negócios foi a ressurreição de uma antiga empresa gigante, a Southeast Air. Apesar da renda anual de mais de cinco bilhões de dólares, a má qualidade dos serviços e o baixo moral dos funcionários da Southeast fizeram dela objeto de zombaria na indústria aeronáutica. A companhia tinha tido um prejuízo de um bilhão e meio de dólares nos cinco anos anteriores à gestão de Hoffman como presidente.

Contra todas as expectativas, Hoffman equilibrou as contas da Southeast em apenas três anos. Investiu na qualidade do serviço e na pontualidade dos vôos, tirando a companhia aérea do fundo do poço e levando-a para um sólido segundo lugar do setor.

Vários empregados de Hoffman, seus companheiros no Exército e nos negócios, assim como alguns amigos, foram entrevistados para o artigo. Vários deles falaram espontaneamente sobre seu amor e afeição por Hoffman. Alguns o viam como um homem profundamente es-piritualizado, embora não necessariamente religioso. Outros o consi-deravam um homem íntegro com traços de caráter altamente evo-luídos e "não deste mundo". Todos se referiram à sua alegria de viver. O autor da *Fortune* concluía que Len Hoffman "parecia ter descoberto o segredo da vida bem-sucedida", sem acrescentar qual seria.

O último artigo que encontrei na Internet foi numa *Fortune* do final dos anos 1980. Ele dizia que, aos sessenta e poucos anos e no topo de uma carreira bem-sucedida, Hoffman demitira-se e desaparecera. Um ano antes sua esposa, com quem estivera casado durante quarenta anos, tinha morrido repentinamente de um aneurisma cerebral, e muitos acreditavam que este fato provo-cara sua partida. O artigo concluía dizendo que o desapareci-mento de Hoffman era um mistério, mas havia rumores de sua adesão a uma seita secreta ou algo assim. Seus cinco filhos, todos casados e com filhos, não forneciam informações sobre o seu paradeiro, apenas dizendo que ele estava feliz, saudável e queria ficar sozinho.

DEPOIS DA MISSA das sete e meia, resolvi ir até o quarto para buscar um agasalho antes do café da manhã. Quando entrei, ouvi barulho no pequeno banheiro e por isso gritei: – Tudo bem, Lee?

– Não é Lee – veio a resposta. – Estou apenas tentando consertar o vazamento do vaso sanitário.

Meti a cabeça para dentro do banheiro e me deparei com um frade idoso, de quatro no chão, mexendo nos canos do vaso sanitário. Levantou-se vagarosamente e me vi frente a um homem no mínimo uns dez centímetros mais alto do que eu. Com um trapo, ele limpou a mão e a estendeu para mim. – Alô, sou o irmão Simeão. Prazer em conhecê-lo, John.

Era Len Hoffman, mais velho do que na foto da Internet, com o rosto enrugado, maçãs do rosto salientes, queixo e nariz proeminentes e cabelos brancos um pouco compridos. Um corpo firme e enxuto, a face ligeiramente rosada. Mas o que mais me impressionou foram seus olhos. Claros, penetrantes, de um azul profundo. Eram os olhos mais acolhedores e cheios de compaixão que eu já vira. O rosto enrugado e os cabelos brancos eram de um velho, mas os olhos e o espírito cintilavam e emanavam uma energia que eu só experimentara quando criança.

Minha mão se sentiu pequena em sua mão enorme e poderosa, e eu abaixei os olhos para o chão, embaraçado. Ali estava uma lenda do mundo dos negócios, alguém que ganhava uma fortuna por ano no auge de sua carreira, consertando meu vaso sanitário!

– Olá, sou John Daily... muito prazer em conhecê-lo – apresentei-me.

– Ah, sim, você é John. Padre Peter me disse que você queria me encontrar...

– Claro, mas só se o senhor tiver tempo. Sei que deve ser um homem muito ocupado.

Ele perguntou, genuinamente interessado: — Quando você gostaria de me encontrar, John? Eu gostaria de sugerir...

— Se não for pedir muito, gostaria de encontrá-lo todos os dias em que eu estiver aqui. Talvez pudéssemos tomar o café da manhã juntos ou algo assim. Estou passando por uma fase difícil e gostaria de ouvir alguns conselhos. Eu tenho um sonho recorrente, e acontecem algumas outras coincidências estranhas sobre as quais gostaria de conversar.

Eu mal podia acreditar que essas palavras tinham saído de minha boca! Eu, o Senhor Sabe-Tudo, dizendo a outro homem que passava por dificuldades e precisava de conselhos? Estava surpreso comigo mesmo ou com Simeão? Em menos de trinta segundos com esse homem, minha arrogância já tinha baixado.

— Vou ver o que posso fazer, John. Sabe, os frades fazem as refeições juntos na clausura e eu precisaria de permissão especial para juntar-me a você. Nosso reitor, irmão James, geralmente aceita bem esse tipo de pedido. Até obter permissão, que tal se nos encontrássemos às cinco da manhã na capela, antes da primeira cerimônia? Isso nos daria tempo para...

Embora cinco da manhã me parecesse bastante duro, não hesitei em interrompê-lo: — Eu gostaria muito.

— Mas agora eu preciso terminar este serviço para não me atrasar para o café da manhã. Verei você na sala de aula às nove em ponto.

— Até lá então — eu disse sem jeito, saindo do banheiro. Agarrei meu agasalho e desci para o café da manhã, sentindo-me um tanto assustado.

Naquela primeira manhã de domingo cheguei cinco minutos antes do começo da aula. Foi um prazer encontrar uma sala moderna e confortável. Em duas paredes havia prateleiras de livros lindamente entalhadas. No outro lado da sala, dando para o lago Michigan, havia uma lareira de pedra e madeira branca e perfumada. O chão era coberto por um carpete rústico bem cuidado, o que emprestava aconchego à sala. Havia dois sofás velhos e confortáveis, uma cadeira reclinável e um par de cadeiras de madeira de espaldar reto e assento estofado, todos dispostos em círculo.

Quando cheguei, Simeão estava de pé ao lado da janela que dava para o lago, aparentemente imerso em profundos pensamentos. Os outros cinco participantes já estavam sentados em torno do círculo e eu ocupei um dos sofás ao lado de meu companheiro de quarto. Quando o grande relógio soou nove vezes, Simeão puxou uma cadeira de madeira em direção ao pequeno grupo.

– Bom dia. Sou o irmão Simeão. Nos próximos sete dias terei o privilégio de compartilhar alguns princípios de liderança que mudaram minha vida. Quero que saibam que fico impressionado quando penso no saber coletivo presente nesta sala e estou ansioso para aprender com vocês. Pensem nisso. Se fôssemos somar todos os anos de experiência de liderança presentes neste círculo, quantos anos vocês acham que teríamos? Provavelmente um século ou dois, não acham? Então aprenderemos uns com os outros nesta semana porque – por favor, acreditem – eu não tenho todas as respostas. Mas creio firmemente que juntos somos muito mais sábios do que cada um sozinho, e juntos faremos progressos nesta semana. Estão prontos?

Polidamente, abanamos a cabeça, mas eu pensava: "Sim, claro, Len Hoffman realmente poderia aprender alguma coisa sobre liderança comigo!"

Simeão pediu que cada um dos seis se apresentasse brevemente e dissesse as razões que o levaram a participar do retiro.

Meu companheiro de quarto – Lee, o pregador – se apresentou primeiro, seguido por Greg, um jovem sargento do Exército bastante vaidoso. Teresa, de origem hispânica, diretora de uma escola pública, falou a seguir, e depois Chris, uma mulher negra, alta e atraente, treinadora do time de basquete da Universidade Estadual de Michigan. Uma mulher chamada Kim apresentou-se antes de mim, mas eu não ouvi o que ela disse. Estava muito ocupado pensando no que diria a meu respeito quando fosse minha vez de falar.

Quando ela terminou, Simeão olhou para mim e disse: – John, antes de começar, eu gostaria de pedir-lhe que resumisse para nós o que Kim falou a respeito de seus motivos para estar participando do retiro.

O pedido me chocou, e pude sentir o sangue lentamente subindo para o pescoço, o rosto e a cabeça. Como iria sair desta? Realmente, eu não tinha ouvido uma única palavra do que Kim dissera na apresentação.

– Estou constrangido por ter de admitir que não ouvi muito do que ela disse – gaguejei baixando a cabeça. – Peço desculpas a você, Kim.

– Obrigado por sua honestidade, John – Simeão respondeu. – Ouvir é uma das habilidades mais importantes que um líder pode escolher para desenvolver. Falaremos mais sobre isso esta semana.

– Vou melhorar – prometi.

Quando terminei minha breve apresentação, Simeão disse: – Durante esta semana, enquanto estivermos juntos, existe apenas uma regra. Quero que vocês me prometam que falarão sempre que tiverem vontade.

– O que significa "ter vontade de falar?" – o sargento perguntou ceticamente.

– Acho que você reconhecerá a vontade quando ela vier, Greg. Muitas vezes é uma sensação de ansiedade que nos faz remexer na cadeira, o coração bate um pouco mais depressa, ou as palmas das mãos suam. É aquela sensação de que você tem uma contribuição a dar. Não tentem negar nem bloquear essa sensação durante esta semana, mesmo quando acharem que o grupo pode não querer ouvir o que vocês têm a dizer. Se sentirem vontade de falar, falem. A regra oposta também se aplica. Se não tiverem vontade de falar, talvez seja melhor se absterem, para dar espaço aos outros. Confiem em mim agora, compreendam-me mais tarde. Podemos firmar um acordo?

De novo, balançamos a cabeça polidamente.

Simeão continuou: – Todos vocês têm cargos de liderança e pessoas confiadas aos seus cuidados. Eu gostaria de desafiá-los esta semana a começarem a refletir sobre a terrível responsabilidade que assumiram quando optaram por ser líderes. Isso mesmo, cada um de vocês se comprometeu voluntariamente a ser pai, mãe, esposo ou esposa, chefe, treinador ou treinadora, professor ou professora, ou o que quer que seja. Ninguém forçou vocês a desempenhar nenhum desses papéis, e vocês estão livres para deixá-los quando quiserem. No local de trabalho, por exemplo, os empregados passam a metade do dia trabalhando e vivendo no ambiente que vocês criam como líderes. Eu me admirava, quando estava no mercado de trabalho, ao constatar a forma displicente e até petulante com que os líderes desempenhavam essa responsabilidade. Há muita coisa em jogo e as pessoas contam com vocês. O papel do líder é extremamente exigente.

Eu comecei a me sentir desconfortável. Jamais pensara muito sobre o impacto que exercia sobre a vida daqueles que liderava. Mas, "extremamente exigente"? Não tinha certeza disso.

– Os princípios de liderança que vou compartilhar com vocês não são novos nem foram criados por mim. São tão velhos quanto as escrituras e no entanto são novos e revigorantes como o nascer do sol desta manhã. Esses princípios se aplicam a cada um e a todos os papéis de liderança que vocês têm o privilégio de exercer. Por favor, saibam, se é que ainda não se deram conta, que não é por acaso que vocês se encontram aqui nesta sala hoje. Há um propósito para sua presença e espero que o descubram durante o tempo que passarmos juntos esta semana.

Enquanto ele falava, não pude deixar de pensar nas "coincidências de Simeão", nos comentários de Rachel e na série de acontecimentos que tinham me trazido ao retiro.

– Tenho boas e más notícias para vocês hoje – continuou Simeão. – A boa notícia é que eu lhes estarei dando as chaves da liderança nos próximos sete dias. Como cada um de vocês exerce o papel de líder, acredito que esta seja uma boa notícia. Lembrem-se de que sempre que duas ou mais pessoas se reúnem com um propósito, há uma oportunidade de exercer a liderança. A má notícia é que cada um de vocês deve tomar decisões pessoais sobre a aplicação destes princípios a suas vidas. Exercer influência sobre os outros, que é a verdadeira liderança, está disponível para todos, mas requer uma enorme doação pessoal. É pena que a maioria dos cargos de liderança assuste as pessoas por causa do grande esforço necessário.

Meu companheiro de quarto, o pregador, levantou a mão para falar e Simeão fez que sim com a cabeça. – Eu notei que você usa muito as palavras *líder* e *liderança* e parece evitar *gerente* e *gerência*. É de propósito?

– Boa observação, Lee. Gerência não é algo que você faça para os outros. Você gerencia seu inventário, seu talão de cheques, seus recursos. Você pode até gerenciar a si mesmo. Mas você não gerencia seres humanos. Você gerencia coisas e lidera *pessoas.*

O irmão Simeão levantou-se, caminhou em direção ao quadro, escreveu *liderança* em cima e nos pediu que o ajudássemos a definir a palavra. Após vinte minutos chegamos consensualmente a esta definição:

> *Liderança:* É a habilidade de influenciar pessoas para trabalharem entusiasticamente visando atingir aos objetivos identificados como sendo para o bem comum.

Simeão voltou para sua cadeira e observou: – Uma das palavras-chave é que definimos liderança como uma habilidade, e eu concordei com isso. Uma habilidade é simplesmente uma capacidade adquirida. Afirmo que liderança – influenciar os outros – é uma habilidade que pode ser aprendida e desenvolvida por alguém que tenha o desejo e pratique as ações adequadas. A segunda palavra-chave de nossa definição é *influência*. Se liderar é influenciar os outros, como desenvolver essa influência? Como levar as pessoas a fazer o que desejamos? Como receber suas idéias, confiança, criatividade e excelência, que são, por definição, dons voluntários?

– Em outras palavras – interrompi –, é saber como o líder consegue envolver as pessoas do "pescoço para cima" em vez da antiga idéia de "nós só queremos você do pescoço para baixo". É isso o que você quer dizer, Simeão?

– Precisamente, John. Para compreender melhor como se desenvolve esse tipo de influência, é fundamental compreender a diferença entre poder e autoridade. Cada um de vocês nesta sala tem um cargo de poder. Mas eu quero saber quantos têm autoridade com as pessoas que lideram.

Fiquei confuso e por isso perguntei: – Simeão, não está clara para mim a diferença entre poder e autoridade. Ajude-me a entender.

– Com prazer, John – Simeão respondeu. – Um dos fundadores da sociologia, Max Weber, escreveu há muitos anos um livro chamado *The Theory of Social and Economic Organization* (A teoria da organização econômica e social). Neste livro, Weber enunciou as diferenças entre poder e autoridade, e essas definições ainda são amplamente usadas hoje. Vou parafrasear Weber o melhor que puder.

Simeão voltou para o quadro e escreveu:

Poder: É a faculdade de forçar ou coagir alguém a fazer sua vontade, por causa de sua posição ou força, mesmo que a pessoa preferisse não o fazer.

– Todos sabemos como é o poder, não é? O mundo está cheio disso. "Faça isso ou despedirei você", "Faça isso ou bombardearemos você", "Faça isso ou bateremos em você" ou "Faça isso ou castigaremos você durante duas semanas". Em palavras simples, "Faça isso senão...". Todos vocês concordam com essa definição?

Todos nós concordamos.

Simeão voltou ao quadro e escreveu:

Autoridade: A habilidade de levar as pessoas a fazerem *de boa vontade* o que você quer por causa de sua influência pessoal.

– Isto é um tanto diferente, não é? Autoridade é levar as pessoas a fazerem *de boa vontade* o que você deseja porque você pediu que fizessem. "Vou fazer porque Bill me pediu – eu atravessaria paredes por Bill" ou "Vou fazer isso porque mamãe me pediu". E notem que poder é definido como uma faculdade, enquanto autoridade é definida como uma habilidade. Não é necessário ter cérebro ou coragem para exercer poder. Crianças de dois anos são mestras em dar ordens a seus pais. Houve muitos governantes maus e insensatos ao longo da história. Porém, estabelecer autoridade sobre pessoas requer um conjunto especial de habilidades.

A treinadora disse: – Entendo quando você diz que alguém poderia estar num cargo de poder e não ter autoridade sobre as pessoas. Ou, ao contrário, uma pessoa poderia ter autoridade sobre os outros sem estar numa posição de poder. O objetivo seria então que uma pessoa no poder também tivesse autoridade sobre as pessoas?

– Esta é uma maneira esplêndida de colocar a questão, Chris! Outro modo de diferenciar poder de autoridade é lembrar que o poder pode ser vendido e comprado, dado e tomado. As pessoas podem ser colocadas em cargos de poder porque são parentes ou amigas de alguém, porque herdaram dinheiro ou poder. Isto nunca acontece com a autoridade. A autoridade não pode ser comprada nem vendida, nem dada ou tomada. A autoridade diz respeito a quem você é como pessoa, a seu caráter e à influência que estabelece sobre as pessoas.

– Isso pode funcionar em casa ou na igreja, mas jamais funcionaria no mundo real! – anunciou o sargento.

Simeão quase sempre se dirigia às pessoas pelo nome. – Vamos ver se isso é realmente verdade, Greg. Em nossas casas, por exemplo, gostaríamos que nossa esposa e filhos respondessem ao nosso poder ou à nossa autoridade?

– À nossa autoridade, obviamente – disse a diretora.

Simeão reagiu: – Mas por que isso é tão óbvio, Teresa? O poder seria suficiente, não é? "Leve o lixo para fora, filho, ou você vai apanhar!" É claro que o lixo iria para fora imediatamente.

Kim, que só na segunda vez que falou eu fiquei sabendo que era enfermeira-chefe do Centro Neonatal do Hospital Providence no sul do estado, interrompeu dizendo: – Sim, mas por quanto tempo? Logo esse filho crescerá e se rebelará.

– Exatamente, Kim, porque o poder corrói os relacionamentos. Você é capaz de obter algum proveito do poder e até realizar coisas, mas com o passar do tempo ele se torna muito danoso para os relacionamentos. O fenômeno que ocorre freqüentemente com os adolescentes, que chamamos de rebelião, é muitas vezes uma reação ao poder que os dominou dentro de suas casas por muito tempo. A mesma coisa acontece com os negócios. A inquietação de um empregado é muitas vezes uma "rebelião" disfarçada.

De repente senti náuseas ao pensar no comportamento de meu filho e no movimento sindicalista lá da fábrica.

– Claro – Simeão continuou –, a maioria das pessoas sensatas concordaria que liderar com autoridade é importante em nossas casas. Mas que tal uma instituição de voluntários? Lee, você é pastor de uma igreja e deve lidar com muitos voluntários. É isso mesmo?

– Sim, de fato – o pregador respondeu.

– Você diria, Lee, que os voluntários têm mais probabilidade de responder ao poder ou à autoridade?

Rindo, Lee afirmou: – Se tentássemos usar o poder com os voluntários, certamente eles não ficariam conosco por muito tempo!

– Claro que não ficariam – Simeão prosseguiu. – Eles só são voluntários em uma organização que satisfaça suas necessidades. Então, que tal o mundo dos negócios? Lidamos com voluntários no mundo dos negócios?

Tive que pensar nisso por um minuto. Minha primeira reação foi responder "claro, eles não são voluntários", mas Simeão me fez repensar.

– Pense nisso. Podemos alugar suas mãos, braços, pernas e costas, e o mercado nos ajudará a determinar o aluguel a pagar. Mas será que eles não são voluntários no sentido literal da palavra? Eles têm liberdade para sair? Podem atravessar a rua e ir ao encontro de outro empregador que lhes pague mais cinqüenta centavos por hora? Ou até cinqüenta centavos menos, se realmente não gostam de nós? Claro que podem. E o que é que você me diz de seus corações, mentes, compromisso, criatividade e idéias? Esses dons não são voluntários? Você pode determinar ou exigir compromisso? Excelência? Criatividade?

A treinadora contestou: – Simeão, acho que você está vivendo numa terra de sonho. Se você não exercer poder, as pessoas pisarão na sua cabeça!

– Talvez, Chris. E apesar de você achar que estou sonhando saiba que compreendo que há vezes em que se deve exercer o poder. Seja para colocar limites em nossas casas ou para despedir um mau empregado, há ocasiões em que precisamos de poder. O que estou dizendo é que, quando precisar exercer o poder, o líder deve refletir sobre as razões que o obrigaram a recorrer a ele. Podemos concluir que tivemos que recorrer ao poder porque nossa autoridade foi quebrada! Ou, pior ainda, talvez não tivéssemos nenhuma autoridade.

– Mas o poder é a única coisa a que as pessoas obedecem! – o sargento insistiu.

– Isso pode ter sido verdade há algum tempo, Greg – Simeão concordou. – Mas atualmente as pessoas reagem ao poder de maneira muito diferente do que costumavam. Pense no que aconteceu neste país nos últimos trinta anos. Vivemos os anos 1960 quando assistimos aos desafios ao poder e às instituições. Testemunhamos abusos de poder em nosso governo, com Watergate, Irangate, Whitewatergate, seja-o-que-for-gate. Tivemos alguns importantes líderes da Igreja envolvidos em escândalos injuriosos e comprometedores. Os militares foram apanhados mentindo para nós sobre My Lai, agente laranja e talvez agora a síndrome da Guerra do Golfo. Grandes homens de negócio foram abertamente retratados pela mídia e por Hollywood como destruidores gananciosos do ambiente – malfeitores em quem não se pode confiar. Acredito que hoje em dia muitos são mais céticos a respeito de pessoas em posições de poder do que jamais foram.

O pregador aparteou: – Estive lendo no *USA Today*, semana passada, que há trinta anos três em quatro pessoas diziam confiar no governo. Hoje essa estatística baixou para uma em quatro. Não é preciso dizer mais nada, eu acho.

– Isto tudo é muito bom e bonito em teoria – a treinadora disse. – Mas se, como você afirma, autoridade e influência são o caminho para fazer as coisas andarem, como estabelecer autoridade com os diferentes tipos de pessoas com as quais lidamos hoje?

– Paciência, Chris, paciência – Simeão respondeu com uma risada. – Logo estaremos cuidando disso.

O sargento deu uma olhada no relógio e interrompeu: – Simeão, sinto vontade de falar, então como um bom aluno falarei. Podemos adiar para mais tarde, para que eu possa ir ao banheiro?

FAZÍAMOS TRÊS REFEIÇÕES substanciais por dia – café da manhã às oito e quinze, depois da missa matinal, almoço às doze e trinta, após a cerimônia do meio-dia, e jantar às seis horas, depois das vésperas da tarde. A comida era preparada de maneira simples e deliciosa, e servida por um frade agradável e muito atencioso, chamado irmão André.

Para minha surpresa, consegui participar de cada uma das cinco cerimônias diárias durante minha semana no mosteiro. O dia começava com a cerimônia matinal às cinco e meia e terminava às oito e meia. Geralmente, as cerimônias duravam de vinte a trinta minutos, cada uma com um ritual ligeiramente diferente, dependendo da hora. No princípio eu achava as cerimônias um tanto monótonas, mas à medida que a semana transcorreu me surpreendi esperando de fato pela próxima. As cerimônias tinham o dom de me ajudar a concentrar em mim e no dia, e me permitiam ter tempo para refletir – algo que eu não fazia há muitos anos.

Meu companheiro de quarto e eu nos dávamos bastante bem. Descobri que Lee era uma pessoa aberta, sem muita pretensão, ao contrário de certos tipos religiosos que eu conhecera no passado. Embora não passássemos muito tempo juntos, compartilhávamos pensamentos antes de nos recolhermos no fim do dia. Geralmente estávamos tão cansados, que caíamos logo no sono. Estou convencido de que não podia ter tido um melhor companheiro de quarto.

Como era de se esperar, nós seis participantes do retiro vínhamos de diferentes setores, tendo como denominador comum o cargo de liderança que ocupávamos em nossas respectivas organizações. Todos éramos responsáveis por outras pessoas.

O dia se estruturava em torno das cinco cerimônias religiosas, três refeições e quatro horas de instrução com pequenos intervalos. Geralmente passávamos o tempo restante lendo, conversando, passeando pelas bonitas imediações, ou descendo os 243 degraus para um passeio na praia às margens do lago Michigan.

DURANTE A SESSÃO DA TARDE, Simeão pediu que escolhêssemos um parceiro. Kim sorriu para mim e me juntei a ela, decidido a ouvir desta vez.

– Vamos pensar mais um pouco nessa questão da autoridade, ou influência, se preferirem, com os outros. Eu gostaria que cada um pensasse numa pessoa, viva ou morta, que exerceu autoridade sobre vocês, da forma como definimos autoridade hoje cedo. Pode ser um professor, um treinador, um pai, cônjuge, chefe – não importa. Pensem em alguém que teve ou tem autoridade sobre suas vidas, alguém por quem vocês atravessariam paredes.

Imediatamente pensei em minha mãe, que falecera havia dez anos.

– Agora, com o parceiro – Simeão continuou –, eu gostaria que vocês listassem as qualidades de caráter que essa pessoa possuía ou possui. Simplesmente escrevam essas qualidades como se fosse uma lista de compras e juntem suas duas listas. Então reduzam a lista para três a cinco qualidades que consideram essenciais para o desenvolvimento da autoridade com pessoas, baseada em sua experiência de vida.

Para mim, o exercício foi fácil porque minha mãe teve enorme influência em minha vida e eu gostaria de fazer mais do que atravessar paredes por ela, se pudesse. Rapidamente escrevi: "paciente, responsável, bondosa, cuidadosa, confiável", e passei a folha para Kim.

Eu me surpreendi ao descobrir que a lista de Kim era muito

parecida com a minha. Ela escolhera uma antiga professora do ensino médio que causara grande impacto em sua vida.

Simeão foi para o quadro e pediu a lista de cada grupo. De novo fiquei assombrado com a semelhança das listas. As principais respostas foram:

- Honestidade, confiabilidade
- Bom exemplo
- Cuidado
- Compromisso
- Bom ouvinte
- Conquistava a confiança das pessoas
- Tratava as pessoas com respeito
- Encorajava as pessoas
- Atitude positiva e entusiástica
- Gostava das pessoas

Simeão deixou o quadro, enfatizando: – Excelente lista, excelente lista. Voltaremos à lista mais tarde, durante a semana, e a compararemos com outra lista que a maioria de vocês reconhecerá. Por ora, tenho duas perguntas sobre a lista. Minha primeira pergunta é esta: destas qualidades de caráter que vocês consideram essenciais para liderar com autoridade, quais são aquelas com que nós nascemos?

Passamos alguns minutos estudando o quadro antes que Kim respondesse com um simples: – Nenhuma delas.

O sargento retrucou: – Não estou seguro. Uma atitude positiva, entusiástica e compreensiva provavelmente é algo com que você nasce. Eu nunca fui um sujeito desse tipo e nem gostaria de ser.

– Ah, não? Talvez você pudesse ser esse tipo de sujeito se eu lhe desse um bônus de vinte e cinco mil dólares – o pregador retrucou.

– O que você quer dizer com isso, pregador? – o sargento reagiu.

– Suponha que eu lhe dissesse que pagaria vinte e cinco mil dólares se nos próximos seis meses você tivesse com suas tropas uma atitude mais positiva, entusiástica e compreensiva. Vou lhe fazer uma pergunta, Greg. No fim dos seis meses você não teria suas tropas "puxando o seu saco"?

Entre sorrisos silenciosos, o sargento abaixou a cabeça, falando: – Entendi o que você quer dizer, pregador.

Simeão salvou Greg: – Todas as qualidades que vocês listaram são comportamentos. E comportamento é escolha. Minha segunda pergunta é: quantas dessas dez qualidades, desses comportamentos, vocês exibem em suas vidas, no momento?

– Todos – respondeu a diretora. – De certa forma, exibimos todos. Alguns melhor do que outros e alguns talvez precariamente. Eu poderia ser a pior ouvinte do mundo, mas sou forçada a ouvir, em certas ocasiões. Eu poderia ser uma pessoa muito desonesta, mas sou honesta ao lidar com minha família.

– Maravilhoso, Teresa – Simeão disse com um sorriso. – Esses traços muitas vezes são desenvolvidos cedo na vida e tornam-se comportamentos habituais. Alguns de nossos hábitos, nossos traços característicos, continuam a evoluir e amadurecer em altos níveis, enquanto outros mudam pouco a partir da adolescência. O desafio para o líder é escolher os traços de caráter que precisam ser trabalhados e aplicar-lhes o bônus de vinte e cinco mil dólares de Lee. Desafiar-nos para mudar nossos hábitos, nosso caráter, nossa natureza. Isso requer uma escolha e muito esforço.

– A pessoa não pode mudar sua natureza – interveio o sargento num tom de desafio.

– Fique ligado, Greg, vêm mais coisas por aí – respondeu Simeão com uma piscada de olho.

APÓS O INTERVALO DO MEIO DA TARDE, passamos o resto do dia discutindo a importância dos relacionamentos.

Simeão começou: – Em palavras simples, liderar é conseguir que as coisas sejam feitas através das pessoas. Ao trabalhar com pessoas e conseguir que as coisas se façam através delas, sempre haverá duas dinâmicas em jogo – a tarefa e o relacionamento. É comum o líder perder o equilíbrio, se concentrando apenas em uma das dinâmicas em detrimento da outra. Por exemplo, se nos concentrarmos somente em ter a tarefa realizada e não no relacionamento, quais são os sintomas que podem surgir?

– Ah, isso é fácil – a enfermeira respondeu. – Em nosso hospital basta observar quais são os chefes que têm maior rotatividade em seu departamento. Isto mostra que ninguém quer trabalhar com aquela pessoa.

– Exatamente, Kim. Se nos concentrarmos em tarefas e não em relacionamentos, podemos ter transferências, rebeliões, má qualidade de trabalho, baixo compromisso, baixa confiança e outros sintomas indesejáveis.

– Sim – fiquei surpreso em me abrir. – Recentemente houve um movimento sindicalista na minha empresa porque provavelmente estávamos muito concentrados na tarefa. Eu me concentrei nos resultados e descuidei-me do relacionamento, o que gerou muita insatisfação entre os empregados.

– Mas a tarefa é importante – o sargento aparteou. – Nenhum trabalho se sustenta se a tarefa não for executada!

– Você está completamente certo, Greg – Simeão concordou. – O líder que não estiver cumprindo as tarefas e só se preocupar com o relacionamento não terá sua liderença assegurada. Então, a chave para a liderança é *executar as tarefas enquanto se constroem os relacionamentos.*

Senti vontade de partilhar um pensamento. – Acho que isso deve estar mudando um pouco, mas a maioria das pessoas é promovida a cargos de liderança por causa de suas aptidões técnicas reveladas no desempenho das tarefas. É uma armadilha contra a qual fui alertado muitas vezes em minha carreira. Certa ocasião, promovemos nosso melhor operador de retroescavadeira a supervisor e acabei percebendo que tínhamos criado dois novos problemas. Passamos a ter um mau supervisor e perdemos nosso melhor operador de retroescavadeira! Não percebemos que, apesar de ser um excelente técnico, seu relacionamento com os subalternos era péssimo.

Mas, como existe um conceito de liderança defeituoso, pessoas voltadas para as tarefas provavelmente ocupam a maioria dos cargos de liderança.

– Isso pode ser verdade, John – concordou Simeão. – Hoje de manhã dissemos que aquele que exerce o poder pode ser muito duro nos relacionamentos. Agora precisamos fazer a pergunta seguinte. Os relacionamentos são importantes quando você lidera? Levei quase uma vida inteira para aprender esta grande verdade: *tudo* na vida gira em torno dos relacionamentos – com Deus, conosco, com os outros. Isso é especialmente verdadeiro nos negócios, porque sem pessoas não há negócios. Famílias saudáveis, times saudáveis, igrejas saudáveis, negócios saudáveis e até vidas saudáveis falam de relacionamentos saudáveis. Os líderes verdadeiramente grandes têm essa capacidade de construir relacionamentos saudáveis.

– Você poderia ser mais específico, Simeão? – a treinadora desafiou. – De modo geral, acho que os negócios tratam de tijolos, argamassa e máquinas. De que relacionamentos você está falando?

– Para haver um negócio saudável e próspero devem existir relacionamentos saudáveis entre os responsáveis pela organização. E não estou falando apenas dos diretores, mas dos clientes, dos empregados, dos donos e dos fornecedores. Por exemplo, se nossos clientes nos deixam e vão para os concorrentes, temos um problema de relacionamento. Não estamos identificando nem satisfazendo suas legítimas necessidades. E a regra número um dos negócios é: se não correspondermos às necessidades de nossos clientes, alguém o fará.

Acrescentei: – Sim, a antiga prática de convidar o cliente para jantar e assim obter o pedido está ultrapassada. Agora o que conta é qualidade, serviço e preço.

Simeão concordou: – Isso mesmo, John, satisfazer as necessidades legítimas do cliente. O mesmo princípio se aplica aos empregados. Agitação, transferências, greves, baixo moral, baixa confiança e baixo compromisso são meros sintomas de um problema de relacionamento. As necessidades legítimas dos empregados não estão sendo satisfeitas.

Imediatamente lembrei que eu optara por não ouvir meu chefe quando me disse que a campanha sindicalista na fábrica era um problema de administração.

Simeão continuou: – Deixem-me dar um passo adiante. Se não estamos satisfazendo as necessidades dos donos ou acionistas, a organização também estará em dificuldade séria. Os acionistas têm uma necessidade legítima de obter o retorno justo do seu investimento – e, se não estivermos preenchendo essa necessidade, nosso relacionamento com os acionistas não estará bom.

O pregador disse: – Isso mesmo, irmão Simeão. E se os acionistas não estiverem felizes, a organização não se manterá por muito tempo. Descobri isso de um modo muito doloroso há vários anos quando era gerente geral de um grande *resort* no Arizona. Nós nos divertíamos muito no trabalho, mas não estávamos muito atentos ao resultado, e eu acabei sendo demitido.

Simeão prosseguiu: – O mesmo princípio de relacionamento vale para os vendedores e fornecedores, sejam os de peças, serviços ou levantamento de recursos para operacionalizar nossas organizações. Um relacionamento saudável entre fornecedor e cliente é necessário para a saúde duradoura de qualquer organização. Em suma, relacionamentos saudáveis com os clientes, empregados, donos e fornecedores asseguram um negócio saudável. Os líderes eficientes compreendem este princípio simples.

O sargento não estava convencido: – Mas, no final, Simeão, você sabe o que realmente vai fazer e manter felizes as tropas, os empregados, ou quem quer que seja? A resposta é sempre a mesma: "Mostre-me o dinheiro!"

– Claro, o dinheiro é importante, Greg. Retenha um contracheque e logo você descobrirá o quanto ele é importante. Entretanto, as pesquisas feitas neste país durante décadas sobre o que as pessoas mais esperam de suas organizações mostraram sempre o dinheiro no quarto ou quinto lugar da lista. O tratamento digno e respeitoso, a capacidade de contribuir para o sucesso da organização, o sentimento de participação sempre apareceram acima do dinheiro. Infelizmente, a maioria dos líderes optou por não acreditar nas pesquisas.

O pregador, que estava inquieto na cadeira, finalmente disse: – Pensem na instituição do casamento neste país. Aproximadamente a metade dessas parcerias que poderiam ser chamadas de organizações fracassa. Sabem qual é a principal razão que as pessoas alegam para este fracasso? Dinheiro e problemas financeiros! Quantos de vocês acreditam nisso? É como dizer que pessoas pobres não podem ter bons casamentos! Que absurdo! Tendo aconselhado casais durante anos, posso afirmar que o dinheiro é o que todos apontam quando há problemas, por ser tangível e concreto. Mas a raiz das separações está em problemas de relacionamento.

– Boa observação – eu disse. – Durante um recente movimento sindicalista em nossa fábrica, todos me diziam que a principal questão era o dinheiro, e eu me convenci disso. Mas o grande consultor especialista em sindicalismo que contratamos para nos ajudar me garantia que a questão não era dinheiro. Ele insistia que se tratava de um problema de relacionamento, mas eu não acreditava. Talvez ele estivesse certo.

A diretora perguntou: – Simeão, eu concordo com você quando diz que os relacionamentos são muito importantes nas organizações e na vida. Qual é então o ingrediente mais importante num relacionamento bem-sucedido?

– Que bom que você perguntou, Teresa – Simeão respondeu prontamente. – E a resposta é simples: confiança. Sem confiança é difícil senão impossível conservar um bom relacionamento. A confiança é a cola que gruda os relacionamentos. Se vocês não tiverem certeza disso, perguntem-se: quantos relacionamentos bons vocês têm com pessoas em quem não confiam? Vocês querem jantar com essas pessoas no fim de semana? Sem níveis básicos de confiança, os casamentos se desfazem, as famílias se dissolvem, as organizações tombam, os países desmoronam. E a confiança vem do fato de uma pessoa ser confiável. Falaremos mais sobre isso no correr da semana.

Tenho certeza de que discutimos muito mais naquela primeira aula, naquele primeiro domingo de outubro, mas estes são os principais pontos de que me lembro. Tive tantos pensamentos e passei por tantas emoções ao mesmo tempo que senti dificuldade em prestar atenção no fim do dia. Continuei pensando nas minhas responsabilidades como chefe, pai, marido, treinador. Pensar nelas e na forma como eu exercia poder e liderança me deixou meio desarvorado. Eu me sentia deprimido e totalmente exausto quando caí na cama aquela noite.

CAPÍTULO DOIS

O Velho Paradigma

Se você não mudar a direção, terminará exatamente onde partiu. — ANTIGO PROVÉRBIO CHINÊS

EU ESTAVA TOTALMENTE ACORDADO às quinze para as cinco da manhã, mas não sentia muita vontade de sair da cama. Porém, como sabia que Simeão estaria esperando por mim na capela, abandonei as cobertas quentes, joguei um pouco de água no rosto e fui ao seu encontro.

Simeão estava sentado na mesma cadeira que ocupava nas cinco cerimônias diárias. Ele acenou para mim e eu me sentei perto dele.

— Desculpe-me por tirá-lo da cama tão cedo — eu disse.

— Não se preocupe, eu acordo muito cedo, John. Estou feliz por podermos passar algum tempo juntos. Perguntei ao reitor ontem se podia tomar o café da manhã com você, mas ainda não tive resposta. Ele concordou em permitir que quebrássemos o Grande Silêncio antes da cerimônia das cinco e meia, e estou muito grato por isso.

"Ele é realmente muita generoso", pensei.

— Diga-me, John, o que você tem aprendido?

— Muitas coisas — respondi. — Achei aquele conceito de poder e autoridade muito interessante. Mas, Simeão, fiquei sem graça quando você me pegou por não estar ouvindo o que Kim dizia ontem.

— Ah, sim, tenho notado que você não ouve muito bem.

— O que você quer dizer com isso? — perguntei na defensiva. — Sempre me considerei um bom ouvinte.

– Ontem de manhã, quando nos conhecemos em seu quarto, você me interrompeu no meio de uma frase três vezes. Isto sinceramente não me afeta, John, mas tenho receio das mensagens que você transmite às pessoas que lidera, quando as interrompe dessa maneira. Ninguém lhe falou desse seu mau hábito?

– Não, não realmente – menti, sabendo que uma das maiores queixas de Rachel a meu respeito era que eu nunca deixava as pessoas terminarem uma frase. Isso frustrava muito meus filhos. Rachel sempre repetia que provavelmente eu fazia a mesma coisa no trabalho e talvez ninguém jamais tivesse coragem de dizer-me. Mas certa vez no trabalho alguém fez isso. Foi durante uma entrevista com um gerente de produção que estava se demitindo para ir trabalhar com um concorrente. Ele me disse que eu era o pior ouvinte que tinha conhecido. Não dei muita importância à sua colocação, pois o considerava um traidor. Mas agora via que precisava repensar essa observação feita por ele.

– Quando você interrompe as pessoas no meio de uma frase, John, você envia algumas mensagens negativas. Número um, se você me interrompeu, é porque não estava prestando muita atenção ao que eu dizia, já que sua cabeça estava ocupada com a resposta. Número dois, se você se recusa a me ouvir, não está valorizando a minha opinião. Finalmente, você deve acreditar que o que tem a dizer é muito mais importante do que o que eu tenho a dizer. John, essas mensagens são desrespeitosas, e como líder você não pode enviá–las.

– Mas não é assim que eu me sinto, Simeão – retruquei. – Tenho muito respeito por você.

– Seus sentimentos de respeito devem se expressar através de suas ações de respeito, John.

– Acho que tenho que trabalhar isso – respondi apressadamente, querendo mudar de assunto.

– Fale-me de você, John – Simeão pediu como se estivesse lendo minha mente.

Durante cinco minutos, relatei a Simeão uma breve autobiografia, e nos cinco minutos seguintes falei das "coincidências de Simeão" e do sonho recorrente.

Simeão ouviu atentamente, como se nada mais no mundo tivesse importância além do que eu estava dizendo. Ele me olhava diretamente nos olhos e balançava a cabeça para mostrar que compreendia, mas não deu uma palavra até que terminei.

Depois de um minuto ou dois de silêncio, ele disse: – Obrigado por compartilhar sua história, John. É fascinante. Adoro ouvir a respeito da jornada das pessoas através da vida.

– Oh, nada de tão especial – eu disse, me diminuindo. – O que você acha dessas coincidências de Simeão?

– Ainda não estou certo, John – ele disse esfregando o queixo. – Tenho a tendência de concordar com sua esposa de que provavelmente isso significa alguma coisa. Nosso inconsciente e os sonhos que ele nos fornece têm uma riqueza indescritível que estamos apenas começando a compreender.

– Sim, suponho.

– Então, como posso ser útil a você esta semana, John?

– Acho que gostaria de roubar um pouco do seu cérebro, se pudesse, Simeão. Realmente estou lutando um bocado estes dias, e minha mente é um verdadeiro turbilhão. Qualquer um imagina que um sujeito que tem tudo o que todos poderiam desejar deveria estar contente e feliz. Mas, como lhe disse, este não é o meu caso.

– John, levei muitos anos para aprender que não são as coisas materiais que nos trazem alegria na vida – Simeão disse como se estivesse declarando uma verdade universal. – Olhe em torno de nós. Os maiores prazeres da vida são totalmente grátis.

– Você realmente acha isso, Simeão?

– Só para começar, John, pense no amor, no casamento, na família, nos amigos, filhos, netos, no nascer e pôr-do-sol, nas noites de lua, nas estrelas brilhando, nas criancinhas, nos dons do tato, gosto, olfato, audição, visão, na boa saúde, nas flores, lagos, nuvens, sexo, na capacidade de fazer escolhas e na própria vida. Todos são grátis, John.

Alguns frades começavam a entrar na capela e eu soube que nossa hora estava quase chegando ao fim.

– Acho que devo aprender alguma coisa com você esta semana, Simeão. Não sei o que será, mas estou desejoso de continuar. Preciso ter minha vida de volta, de novo, antes de perder o emprego e até a família. Mas, para ser honesto com você, na realidade estou me sentindo pior aqui. Quanto mais ouço você, mais percebo o quanto estou fora da linha. Acho que nunca me senti tão por baixo.

– Este lugar é perfeito para recuperar sua vida – Simeão respondeu.

HAVIA UM MURMÚRIO NA SALA DE AULA quando o relógio começou a bater nove horas naquela manhã.

Simeão sorriu para o grupo e disse gentilmente: – Acho que alguns de vocês estiveram lutando com alguns dos princípios que discutimos ontem.

– Você está certíssimo! – o sargento explodiu, como se falasse para o grupo todo. – Essa história de conto de fadas vai contra tudo o que nós aprendemos no mundo real.

O pregador balançou a cabeça e disse: – O que você quer dizer com "nós"? Talvez você tenha que desafiar alguns de seus velhos paradigmas, soldado!

– E o que é um paradigma, pregador? – resmungou o sargento. – Algo que você tirou da Bíblia?

Simeão assumiu a direção. – Paradigma é uma boa palavra. Paradigmas são simplesmente padrões psicológicos, modelos ou mapas que usamos para navegar na vida. Nossos paradigmas podem ser valiosos e até salvar vidas quando usados adequadamente. Mas podem se tornar perigosos se os tomarmos como verdades absolutas, sem aceitarmos qualquer possibilidade de mudança, e deixarmos que eles filtrem as novas informações e as mudanças que acontecem no correr da vida. Agarrar-se a paradigmas ultrapassados pode nos deixar paralisados enquanto o mundo passa por nós.

O sargento disse: – Está bem, agora compreendi. Meu velho paradigma era que os frades eram estranhos e os mosteiros deviam ser evitados a todo custo! Graças ao meu capitão, que insistiu em mandar-me para cá, tenho o prazer de dizer que esses paradigmas estão sendo desafiados aqui, nesta semana! – Ele levantou os olhos e suspirou.

Todos rimos, mas ninguém riu mais do que Simeão.

– Acho que devo lhe agradecer, Greg – Simeão respondeu com um sorriso. – Como exemplo de paradigma perigoso, pense na visão de mundo que uma garotinha vítima de um pai abusivo poderia desenvolver. Provavelmente ela desenvolveria a idéia – o paradigma – de que os homens adultos não devem ser confiáveis. Enquanto ela fosse criança, este paradigma a levaria a afastar-se do pai. Entretanto, se ela o transferir para o mundo adulto, é provável que, quando crescer, tenha grandes dificuldades com os homens.

– Compreendo – disse a enfermeira. – O paradigma da menina pequena era que nenhum homem é confiável, mas o paradigma adequado é que alguns homens não são confiáveis. No entanto, a menina ficaria impregnada pelo modelo que serviu para ela enquanto viveu no lar com aquele irresponsável, e o transferirá inadequadamente para as suas vivências no mundo adulto.

– Exatamente, Kim – Simeão continuou. – Por isso, é importante que desafiemos continuamente os paradigmas a respeito de nós mesmos, do mundo em torno de nós, de nossas organizações e das outras pessoas. Lembrem-se de que o mundo exterior entra em nossa consciência através dos filtros de nossos paradigmas. E nossos paradigmas nem sempre são corretos.

Eu acrescentei: – Li em algum lugar que não vemos o mundo como ele é, mas como nós somos. O mundo parece muito diferente dependendo de nossa perspectiva. Ele parece diferente se sou rico ou pobre, doente ou saudável, jovem ou velho, negro ou branco. Minha mulher vê o mundo de maneira muito diferente da minha, acreditem-me.

A diretora disse: – Acredito que foi Mark Twain quem falou que devemos ter cuidado para absorver as lições adequadas de nossas experiências. Deu como exemplo o gato que senta no fogão quente.

Como a experiência foi dolorosa, ele jamais se sentará em qualquer fogão, nem quente, nem frio.

— Excelente, excelente — Simeão reagiu com seu sorriso costumeiro. — Pensem nos velhos paradigmas: o mundo é plano; o Sol gira em torno da Terra; a salvação virá se você for uma boa pessoa; as mulheres não podem votar; os negros são inferiores; as monarquias devem governar as pessoas; cabelos longos e brincos são somente para mulheres, e assim por diante. Novas idéias e maneiras de fazer as coisas estarão sempre sendo desafiadas, e até rotuladas como heréticas, coisas do diabo, comunistas. Desafiar os velhos caminhos requer muito esforço, mas acomodar-se nos paradigmas ultrapassados, também. O mundo está mudando tão rapidamente que podemos ficar paralisados se não desafiarmos nossas crenças e paradigmas.

A treinadora declarou: — Eu gostaria de saber se esta é a razão do progresso contínuo tão grande nestes dias. Se uma organização não está desafiando suas crenças e velhas maneiras de fazer as coisas, a concorrência e o mundo simplesmente a ultrapassam. Por outro lado, constatamos que as pessoas têm muita dificuldade em mudar. Por que, Simeão?

Simeão respondeu rapidamente: — A mudança nos desinstala, nos tira da nossa zona de conforto e nos força a fazer as coisas de modo diferente, o que é difícil. Quando nossas idéias são desafiadas, somos forçados a repensar nossa posição, e isso é sempre desconfortável. É por isso que, em vez de refletir sobre seus comportamentos e enfrentar a árdua tarefa de mudar seus paradigmas, muitos se contentam em permanecer para sempre paralisados em seus pequenos trilhos.

A diretora fez uma careta: — Um trilho é uma espécie de caixão sem alças.

A treinadora contribuiu: — O progresso contínuo é fundamental tanto para as pessoas como para as organizações, porque nada permanece igual na vida. A natureza nos mostra claramente que ou você está vivo e crescendo, ou está morrendo, morto, ou declinando.

Simeão acrescentou: – Quase todos compram a idéia do progresso contínuo, mas por definição é impossível melhorar, a não ser que mudemos. São sempre pessoas corajosas da linha de frente que desafiam e fazem as perguntas que abrirão caminho para as outras.

– George Bernard Shaw – a diretora aparteou de novo – disse uma vez que o homem sensato se adapta ao mundo; o insensato persiste em tentar adaptar o mundo a si mesmo; portanto, todo o progresso depende do homem insensato.

– Muitas vezes digo às minhas jogadoras – acrescentou a treinadora – que é melhor ser o cão-guia da matilha por três razões. Primeira, é ele quem abre os caminhos; segunda, ele é o primeiro a ver a paisagem; e terceira, ele não fica olhando para os rabos dos outros o tempo todo!

– Obrigado, Chris, eu ainda não tinha ouvido isso – Simeão riu.

Ele caminhou em direção ao quadro e escreveu exemplos de velhos e novos paradigmas, enquanto o grupo trocava idéias.

VELHO PARADIGMA	NOVO PARADIGMA
Invencibilidade dos EUA	Concorrência global
Administração centralizada	Administração descentralizada
Japão = produtos de má qualidade	Japão = produtos de boa qualidade
Gerenciamento	Liderança
Eu penso	Causa e efeito
Apego a um modelo	Melhoria contínua
Lucro a curto prazo	Lucro a curto e longo prazos
Trabalho	Sócios
Evitar e temer mudanças	A mudança é uma constante
Está razoável	Defeito zero

Simeão continuou: – Claro, temos velhos paradigmas sobre como dirigir organizações que precisam ser desafiados nessa entrada no novo milênio. Como a menininha, podemos estar carregando bagagem velha e paradigmas organizacionais inadequados para um mundo em constante evolução. Segundo vocês, quais seriam os paradigmas predominantes na administração de uma organização hoje?

O sargento, como sempre, foi rápido: – Estilo piramidal de administração. O vértice para baixo. Faça o que eu digo. Se eu quiser sua opinião, eu a darei para você. Viver segundo a regra de ouro, que diz: "Quem tem o ouro faz as regras."

Simeão dirigiu-se para o quadro outra vez, vagarosamente, dizendo: – Vamos falar do paradigma da administração de estilo piramidal e por que se tornou tão popular.

Ele desenhou um grande triângulo e subdividiu-o em cinco partes: – Nossa administração em estilo de pirâmide é um velho conceito herdado de séculos de guerra e monarquias. Nas forças armadas, por exemplo, temos o general no topo, com coronéis, seguidos dos capitães e tenentes, sargentos, e adivinhe quem está lá embaixo?

– Os soldados! – Greg disse. – As tropas da linha de frente muitas vezes se referem a si mesmas como soldados, e se orgulham muito disso!

– Obrigado, Greg. E quem é que fica mais próximo do inimigo? O general ou os soldados?

– Claro, os soldados – disse a treinadora.

Simeão começou a colocar títulos de direção organizacional sobre os títulos militares, dizendo: – Vamos dar um passo de cada vez e adaptar este modelo militar às nossas organizações de hoje. Vamos colocar o presidente no lugar do general, os vice-presidentes no dos coronéis, os gerentes intermediários no dos capitães e tenentes, e os supervisores no dos sargentos. Agora adivinhem quem está na base da organização típica?

– Os soldados – três de nós responderam em uníssono.

– Não são mais os soldados – o pregador anunciou. – Agora nós nos referimos a eles como os empregados ou associados.

– Obrigado, Lee – Simeão sorriu. – E onde está o cliente neste modelo? Quem está mais próximo do cliente, o presidente ou os caras que executam o trabalho e agregam valor ao produto? Espero que a resposta seja óbvia para vocês.

Eu então disse: – Meu chefe costumava me lembrar que as pessoas que colocam o vidro nas caixas em nossa fábrica são as mais próximas dos clientes. Quer dizer, eu posso até conhecer os clientes pessoalmente e convidá-los para almoçar ocasionalmente, mas a coisa mais importante é a que está dentro da caixa quando ele tira a tampa. E a última pessoa a tocar naquele vidro é o trabalhador. Acho que isso o faz mais próximo dos clientes.

VELHO PARADIGMA

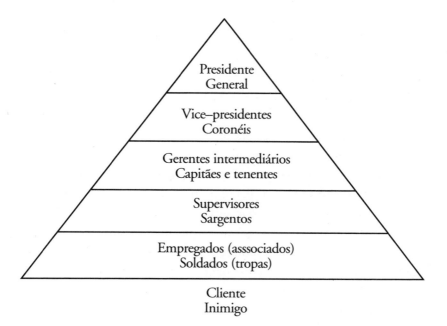

Presidente
General

Vice–presidentes
Coronéis

Gerentes intermediários
Capitães e tenentes

Supervisores
Sargentos

Empregados (asssociados)
Soldados (tropas)

Cliente
Inimigo

– Sim, ouvi dizer que os executivos se sentem muito sozinhos no topo. Mas todos os outros também estão sozinhos, porque cada um está tratando de executar seu trabalho! – Teresa deixou escapar.

– Então você tem um modelo que se parece um pouco com este – Simeão anunciou afastando-se do quadro. E perguntou: – Este é um bom modelo ou paradigma para dirigir uma organização hoje?

– Uma coisa é certa – respondeu o sargento um tanto na defensiva. – Este é um modo eficiente de realizar o trabalho! Nosso país alcançou grande projeção usando este estilo. Foi um sucesso durante muito tempo.

– Bem – comentou o pregador –, parece muito natural que, depois das grandes vitórias do princípio do século vinte, as pessoas voltassem para casa acreditando que esse estilo de poder de cima para baixo, de obedecer ordens sem questionar, fosse o melhor para conseguir o que se queria. Muitas pessoas provavelmente voltaram para casa elegendo essa maneira como a melhor e talvez a única de conduzir seus negócios, seus lares, os times esportivos, as igrejas e as organizações não-militares.

– É indiscutível que o modelo militar foi eficiente para ganhar guerras – Simeão concordou, balançando a cabeça. – Mas eu me pergunto se, tal como na história da menininha do nosso exemplo, não transferimos inadequadamente um modelo que serviu perfeitamente bem na defesa de terras e crianças para um mundo onde o mesmo modelo não será tão eficiente. Este modelo nos serve bem hoje ou há um caminho melhor?

– Sabe – Lee começou –, quando olho para o modelo no quadro, fico admirado por termos o cliente no mesmo lugar do inimigo. Você acredita mesmo que as organizações vêem o cliente como um inimigo?

– Com certeza eu não gostaria que fosse assim, pelo menos conscientemente – Kim respondeu. – Mas, quando olho para esse estilo de administração de cima para baixo, fico preocupada com as mensagens que estão sendo enviadas para os empregados.

– O que você quer dizer com isso? – perguntei.

– Na organização todos estão olhando para cima, para o chefe, e longe do cliente – ela respondeu rapidamente.

– Linda observação, Kim – Simeão exclamou. – Isso é exatamente o que acontece com uma mentalidade ou paradigma de cima para baixo. Se eu tivesse que ir à sua organização e perguntasse aos empregados quem eles estão tentando agradar, ou a quem eles servem, qual seria a resposta da grande maioria?

Respondi sem hesitar: – Eu gostaria de pensar que eles diriam "o cliente", mas receio que diriam "o patrão". Sim, de fato estou seguro de que os empregados de minha fábrica diriam algo como "estou aqui para fazer o chefe feliz. Se o chefe estiver feliz, a vida é boa". Triste, mas provavelmente verdadeiro.

– É honesto de sua parte reconhecer isso, John – afirmou Simeão.

– Minha experiência tem sido a mesma. Hoje, em muitas organizações, as pessoas se empenham sobretudo em manter o patrão feliz. E, quando todo mundo se empenha em manter o chefe feliz, quem se preocupa em manter o cliente feliz?

A diretora parecia um tanto confusa quando disse vagarosamente: – Ah, isso é muito triste. Talvez a pirâmide esteja de cabeça para baixo. Talvez o cliente precise estar no topo. Isso não faz muito mais sentido?

– Claro que faz, Teresa – respondeu o pregador –, porque, se o cliente não estiver sendo servido e mantido feliz, não vai haver um próximo seminário, porque logo estaremos desempregados.

Simeão encaminhou-se para o quadro: – Seguindo o que Teresa disse, suponham que nosso paradigma de cima para baixo esteja de cabeça para baixo. Suponham que um modelo que serviu perfeitamente bem num certo tempo e lugar não seja adequado hoje. E se, como Teresa sugeriu, invertêssemos o triângulo e colocássemos o cliente no topo. E, como dissemos anteriormente, os mais próximos do cliente fossem os associados ou empregados, apoiados pela linha de frente dos supervisores, e a seguir todo o resto. O novo modelo poderia se parecer com este.

Simeão afastou-se do quadro.

– Acho que você está vivendo na ilha da Fantasia, Simeão – exclamou o sargento. – Você está dizendo que os empregados deveriam estar no topo dirigindo o negócio. Acho todo esse papo engraçado na teoria, mas esqueça-se dele no mundo real.

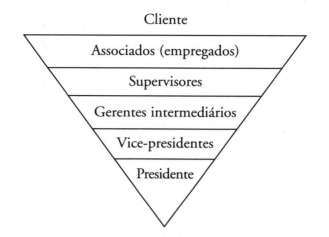

Simeão sorriu placidamente. – Por favor, agüente-me mais um minuto ou dois, Greg. Vamos imaginar uma organização cujo foco principal fosse servir ao cliente. Imagine, como mostra a pirâmide, uma organização onde os empregados na linha de frente estivessem servindo aos clientes e garantindo que suas verdadeiras necessidades estivessem sendo satisfeitas. E suponha também que o supervisor da linha de frente começasse a ver os empregados como clientes e se dedicasse a identificar e preencher suas necessidades. E assim por diante, pela pirâmide abaixo. Isso iria requerer que cada gerente adotasse uma nova atitude, um novo paradigma, reconhecendo que o papel do líder não é impor regras e dar ordens à camada seguinte. Em vez disso, o papel do líder é servir. Que paradoxo interessante! E se estivesse tudo de cabeça para baixo? Talvez liderássemos melhor servindo.

A enfermeira secundou: – No hospital, eu sempre digo aos meus supervisores que seu trabalho consiste em remover todos os obstáculos, todos os entraves, para que os empregados possam servir aos pacientes. Eu lhes digo para se verem como gigantescos niveladores de estradas, removendo todos os quebra-molas ao longo do caminho. Usando suas palavras, Simeão, remover os obstáculos seria servir às pessoas.

– Isso mesmo – o pregador acrescentou. – Infelizmente, muitos gerentes colocam obstáculos em vez de removê-los. Eu costumava chamar os supervisores que passavam os dias colocando obstáculos de "gerentes-gaivotas". Um gerente-gaivota é aquele que periodicamente voa para dentro da área, faz muito barulho, engana as pessoas, talvez coma seu almoço, e desaparece.

– Acho que todos nós conhecemos alguns gerentes assim. É uma vergonha que tantos líderes gastem seu tempo falando de seus direitos como líderes em vez de suas terríveis responsabilidades como líderes. – Simeão sorriu. – Está na hora da capela do meiodia. Resumindo o que discutimos, um líder é alguém que identifica e satisfaz as necessidades legítimas de seus liderados e remove todas as barreiras para que possam servir ao cliente. De novo, para liderar você deve servir.

– Viva Simeão, viva Simeão! – o sargento cantou até perder o fôlego, enquanto saía.

DEPOIS DO ALMOÇO resolvi andar um pouco na praia antes da aula da tarde. Greg perguntou se podia ir comigo e eu menti polidamente: – Seria ótimo. – O sargento era a última pessoa com quem eu queria dar um passeio.

Caminhamos uns minutos em silêncio até que ele perguntou: – O que você acha de toda essa coisa de poder versus autoridade e de servir às pessoas?

– Ainda não estou certo, mas continuo ouvindo – respondi.

– Tenho dificuldade em acreditar que isso poderia funcionar no mundo real. É grego para mim.

– Para nós dois, Greg – eu disse, apenas para ser agradável.

Mas, pela segunda vez em menos de cinco minutos, eu mentia para Greg. As palavras de Simeão não eram língua estrangeira para mim. Reconheci a verdade quando as ouvi.

TODOS ESTAVAM PRESENTES e curiosamente quietos quando o relógio tocou duas vezes para iniciar nossa sessão da tarde.

Antes que Simeão abrisse a boca, o sargento falou: – Sei que você era considerado um bom líder há alguns anos, e eu respeito isso, Simeão. Mas não posso acreditar que você tenha conseguido sua fama dizendo aos supervisores que fizessem o que os empregados queriam! Se eu tentasse liderar as pessoas desse jeito, perdoe-me, haveria uma anarquia declarada. Num mundo perfeito, você pode estar certo, mas fazer o que as pessoas querem nunca funcionará neste mundo.

– Sinto muito, Greg – começou Simeão –, acho que não fui claro sobre o que significa servir. Eu disse que os líderes deviam identificar e satisfazer as necessidades de seus empregados e servi-los, atendê-los. Eu não disse que eles deviam identificar e satisfazer as vontades das pessoas, ser escravos delas. Os escravos fazem o que os outros querem, os servidores fazem o que os outros precisam. Há um mundo de diferença entre satisfazer vontades e satisfazer necessidades.

– E como você definiria a diferença? – Greg perguntou, um pouco mais calmo.

Simeão não hesitou. – Como pai, por exemplo, se eu permitisse que meus filhos fizessem o que quisessem, acho que nenhum de vocês iria querer passar um tempo em minha casa, porque as crianças estariam correndo, gritando, e teríamos uma "anarquia", como você mesmo disse. Dando o que as crianças querem, estou seguro de não estar dando o que precisam. As crianças e os adultos precisam de um ambiente com limites, um lugar onde haja padrões estabelecidos e onde as pessoas sejam responsáveis. Elas podem não querer limites e responsabilidade, mas precisam de limites e responsabilidade. Não fazemos favor a ninguém dirigindo lares ou departamentos indisciplinados. O líder nunca deve aceitar a mediocridade ou o segundo lugar – as pessoas têm necessidade de receber estímulo para se tornarem o melhor que puderem ser. Talvez isto não seja o que querem, mas o líder deve estar sempre mais preocupado com as necessidades do que com as vontades.

Para minha surpresa, senti vontade de falar: – Todos os trabalhadores de nossa fábrica querem ganhar vinte dólares por hora. Se fôssemos pagar-lhes vinte dólares por hora provavelmente estaríamos falidos em poucos meses, porque nossa concorrência seria capaz de fazer o vidro muito mais barato. Se aceitássemos a reivindicação, poderíamos ter feito o que os empregados queriam, mas certamente não faríamos o que eles precisavam, que é proporcionar empregos estáveis e duradouros.

O sargento acrescentou: – Sim, acho que é isso o que os políticos fazem quando tomam suas decisões baseadas na última pesquisa Gallup. Pensam estar dando o que o povo quer, mas desconhecem o que o povo realmente precisa.

– Mas como você diferencia necessidades de vontades? – perguntou a enfermeira.

– Uma vontade – Simeão explicou – é simplesmente um anseio que não considera as conseqüências físicas ou psicológicas daquilo que se deseja. Uma necessidade, por outro lado, é uma legítima exigência física ou psicológica para o bem-estar do ser humano.

– Isso não é um pouco complicado? – Kim questionou. – Além do mais, as pessoas são diferentes, o que faz com que tenham necessidades diferentes. Embora eu ache que há certas necessidades, como receber tratamento respeitoso, que são universais.

– Grande questão, Kim – aparteei. – Meu filho mais velho, John Jr., era uma criança de vontade forte, enquanto minha filha, Sarah, era mais dócil. Com certeza eles têm necessidades diferentes, e isso exigiu de nós, pais, diferentes estilos de tratamento para lidar com essas necessidades individuais. O mesmo vale para o lugar onde trabalho. Um novo empregado certamente tem uma série de necessidades diferentes das de alguém que trabalha há vinte anos e conhece perfeitamente suas tarefas. Pessoas diferentes têm necessidades diferentes, e por isso acho que o líder precisa ser flexível.

Simeão continuou: – Se o papel do líder é identificar e satisfazer as legítimas necessidades das pessoas, nós deveríamos estar nos perguntando constantemente: quais são as necessidades das pessoas que lidero? Quero desafiar vocês a fazerem uma lista das necessidades que essas pessoas têm em sua casa, na igreja, na escola, onde quer que vocês liderem. E se não conseguirem dizer quais são as necessidades dos que trabalham com vocês, perguntem-se: quais são as minhas necessidades? Isso os ajudará a descobrir as dos outros.

Greg adiantou–se: – Bem, Chucky, o operador da retroescavadeira, necessita de uma boa máquina, de ferramentas adequadas, de treinamento, de material, de um salário justo e de um ambiente de trabalho seguro. Isso o faria feliz.

Simeão replicou: – Eis um bom começo, Greg. Tudo o que você disse supre muito bem as necessidades físicas de Chucky. Mas lembre-se, ele também tem necessidades psicológicas que precisam ser satisfeitas. Quais seriam essas necessidades?

A enfermeira – a mais brilhante dos participantes do retiro, pensei – levantou-se, caminhou em direção ao quadro e desenhou outra pirâmide. Depois disse: – Não posso acreditar que estou fazendo isto, mas vou obedecer a Simeão, falando quando tenho vontade de falar.

– Queridinha do professor! – gritei para ela.

– Pare com isso, John! Não é fácil para mim – Kim rebateu com um pequeno sorriso. – No curso de psicologia aprendi a respeito de Abraham Maslow e sua hierarquia das necessidades humanas. Acho que havia cinco níveis de necessidades, sendo o nível mais baixo comida, água e teto, o segundo segurança e proteção, e assim por diante.

A enfermeira afastou-se do quadro antes de prosseguir: – Se bem me lembro, as necessidades do nível mais baixo devem ser satisfeitas antes das necessidades de nível mais alto. Assim, se considerarmos o nível mais baixo, suponho que pagar um salário justo e dar os benefícios satisfariam as necessidades de comida, água e teto. As necessidades da segunda camada – segurança e proteção – exigiriam um ambiente de trabalho seguro, juntamente com o fornecimento de limites e o estabelecimento de regras e padrões, como disse Simeão hoje cedo. Maslow afirma que estabelecer limites, regras e padrões é fundamental para satisfazer as necessidades de segurança e proteção. Isso nos leva a concluir que Maslow não era de jeito algum adepto da permissividade dos pais.

HIERARQUIA DAS NECESSIDADES HUMANAS, DE MASLOW

– Continue, Kim! Você está com a corda toda!

Kim abriu um grande sorriso e continuou, seu nervosismo desaparecendo aos poucos. – De qualquer modo, uma vez atendidos os dois níveis básicos de necessidades, os sentimentos de pertencer à empresa e de ser amado tornam-se necessidades incentivadoras. Eu me lembro que isso inclui a necessidade de fazer parte de um grupo saudável, com relacionamentos acolhedores e saudáveis. Uma vez satisfeitas essas necessidades, o estímulo vem da auto-estima, o que inclui a necessidade de sentir-se valorizado, tratado com respeito, apreciado, encorajado, tendo seu trabalho reconhecido, premiado, e assim por diante.

– Você está falando da necessidade de colo – disse o sargento.

– Vou terminar – a enfermeira continuou, sorrindo. – Uma vez satisfeitas essas necessidades, a necessidade passa a ser de auto-realização, que muitos lutaram para tentar definir. O que deduzi foi que auto-realizar-se é tornar-se o melhor que você pode ser ou é capaz de ser. Nem todos podem ser presidentes da empresa ou o melhor aluno da sala. Mas todos podem ser o melhor empregado, jogador ou estudante possível. E, se compreendo corretamente o que Simeão disse, o líder deve incentivar e dar condições para que as pessoas se tornem o melhor que podem ser. Acho que Chucky da retroescavadeira jamais será presidente da companhia, mas podemos incentivá-lo para que seja o melhor operador possível de retroescavadeira.

– Seja como for, isso agora soa familiar, não é, Greggy? – o pregador riu. – Não é este o tema da canção do Exército naqueles comerciais que nos levam à loucura? Vamos cantá-lo para Greg?

Para terminar o dia, saímos pela porta marchando e cantando o jingle do Exército que dizia que as pessoas têm que alcançar a própria excelência.

CAPÍTULO TRÊS

O Modelo

Quem quiser ser líder deve ser primeiro servidor. Se você quiser liderar, deve servir. — JESUS CRISTO

SIMEÃO ESTAVA SENTADO, esperando, quando cheguei à capela uns minutos depois das cinco. Terça-feira de manhã.

– Bom dia, John – ele me cumprimentou alegremente.

– Desculpe, estou atrasado – respondi ainda um pouco tonto. – Você parece bastante animado. A que horas costuma acordar?

– Quinze para as quatro, exceto aos domingos. Isso me dá algum tempo para me concentrar antes da primeira cerimônia. – Sorriu afetuosamente. – Diga-me, John, o que você tem aprendido?

– Não sei, Simeão. Eu fiquei muito irritado com Greg, e foi difícil me concentrar. Parece que ele desafia tudo. Acho que deve ser por causa de seu treinamento no Exército. Por que você não dá um basta, ou pede para ele sair, em vez de deixá-lo interromper tanto?

– Eu rezo para que pessoas como Greg assistam às minhas aulas.

– Você realmente quer sujeitos como esse em sua aula? – perguntei incrédulo.

– Pode apostar que sim. Meu primeiro mentor em negócios me ensinou uma lição difícil sobre a importância da opinião contrária. Quando jovem, fui vice-presidente de uma companhia fabricante de lâminas de metal, e defendia a todo custo a teoria de que liderar era dar a mão aos outros e cantar em coro. Outros dois vice-presidentes de que recordo vivamente até o dia de hoje, Jay e Kenny, pensavam exatamente o oposto. Eles achavam que as pessoas eram preguiçosas, desonestas, e precisavam ser cutucadas para fazê-las trabalhar.

— Assim como Greg?

— Ainda não tenho idéia daquilo em que Greg acredita, John, mas sei que as coisas nem sempre são como parecem ser. Devemos ter cuidado antes de fazer julgamentos rápidos. Além disso, Greg não está aqui conosco para se defender, e eu tento não falar negativamente a respeito daqueles que não estão presentes.

— Acho que esta é uma boa política — concordei com ele.

— Tentei viver, muitas vezes sem sucesso, adotando a filosofia de que nunca devemos tratar as pessoas da maneira que não gostaríamos de ser tratados. Acho que não gostaríamos que as pessoas falassem de nós pelas costas, não é mesmo, John?

— Sem dúvida, Simeão.

— Voltando a Jay e Kenny, em nossas reuniões eu entrava em tremendos conflitos com eles sempre que as questões dos empregados eram discutidas. Esses dois sujeitos exigiam sempre políticas e procedimentos mais duros, e eu sempre optava por um estilo de administração mais democrático e aberto. Eu acreditava que Jay e Kenny arruinariam a companhia com o que eu considerava atitudes da idade da pedra. Eles, por sua vez, acreditavam que havia um comunista secreto querendo entregar a companhia. Meu chefe, Bill — presidente da companhia e amigo pessoal —, pacientemente arbitrava essas batalhas, algumas ferozes, às vezes ficando do lado deles, às vezes do meu.

— Duro o lugar dele — comentei.

— Não para Bill — respondeu Simeão prontamente. — Bill sempre estabelecia limites claros, principalmente quando se tratava dos interesses da empresa. Depois de uma acalorada reunião, um dia puxei Bill de lado e disse: "Por que você simplesmente não despede aqueles dois idiotas para que possamos começar a ter algumas reuniões respeitosas e produtivas?" Lembrarei sua resposta até o dia de minha morte.

— Ele concordou em despedi-los?

– Ao contrário, John. Ele me disse que despedi-los seria a pior coisa que poderia fazer à companhia. Quando eu perguntei por que, ele me olhou nos olhos e disse: "Porque, Len, se nós adotássemos só o seu jeito de liderar, entregaríamos a companhia. Esses sujeitos ajudam você a manter o equilíbrio." Fiquei tão zangado que não consegui falar com ele durante uma semana.

– Colocando isso na linguagem que você usou ontem, Simeão, acho que Bill deu o que você precisava, e não o que você queria, certo?

Simeão balançou a cabeça. – Uma vez aplacado meu ressentimento, compreendi que Bill estava certo. Embora Jay, Kenny e eu brigássemos muito, nossas decisões finais eram geralmente muito equilibradas. Eu precisava deles e eles precisavam de mim.

– Meu chefe sempre me adverte e aos outros gerentes da fábrica para que não nos rodeemos de pessoas que dizem amém a tudo, ou pessoas iguais a nós. Ele gosta de dizer: "Em nossas reuniões de executivos, se dez concordarem com tudo, nove provavelmente são desnecessários." Acho que preciso ouvi-lo um pouco mais.

– Ele parece ser um homem sábio, John.

– Sim, acho que é. A propósito, você vai poder reunir-se comigo para o café da manhã em vez dessas sessões na capela?

– Infelizmente, sinto ter que lhe dizer que ontem à noite o reitor foi ao meu quarto e negou-me permissão para fazer as refeições com você.

– Você realmente precisava de permissão para comer comigo? – perguntei sarcasticamente, sentindo-me um pouco ferido.

– Sim, como disse domingo de manhã, os frades fazem as refeições juntos na clausura. Precisamos de permissão especial para fazer as refeições em outro lugar. Pedi ao irmão James e ele negou meu pedido. Estou seguro de que ele tem uma boa razão.

Eu conhecera o reitor enquanto caminhava durante o período do intervalo de segunda-feira à tarde. Era inevitável que ele não me impressionasse, porque fora eleito pelos frades para servir como reitor havia mais de duas décadas, e me parecia muito velho, cansado e um pouquinho senil. E Len Hoffman tinha que pedir permissão a esse velho frágil para tomar o café da manhã comigo?

E a permissão fora negada! Eu simplesmente não entendia. Mas, para ser completamente honesto, além de rejeitado eu estava irritado por ter de me levantar àquela hora miserável por mais quatro dias.

Em tom condescendente pedi: – Por favor, não leve a mal, mas você não acha um pouco descabido ter que pedir permissão para tomar o café da manhã comigo?

– No começo eu provavelmente achei – ele respondeu. – Mas agora mudei de idéia. A obediência, entre outras coisas, também tem feito maravilhas para quebrar meu falso ego e meu orgulho. Essas duas características têm a capacidade de interpor-se no caminho de nosso crescimento, se deixarmos.

– Sim – eu balancei a cabeça sem ter idéia do que ele estava falando.

QUANDO O CARRILHÃO BATEU NOVE HORAS, a diretora já acenava com a mão.

– Sim, Teresa – Simeão respondeu. – O que você está querendo perguntar nesta linda manhã?

– Ontem no jantar nós tivemos uma discussão animada sobre quem foi o maior líder de nosso tempo. Muitos nomes foram sugeridos, mas parece que não chegamos a um consenso sobre quem seria. Simeão, quem você acredita ter sido o maior líder de todos os tempos?

– Jesus Cristo – foi a resposta imediata.

Olhei ao redor e vi que Greg levantava os olhos e um ou dois outros também pareciam desconfortáveis.

Teresa continuou: – Provavelmente você acha isso porque é cristão. É natural que pense que Jesus foi um bom líder.

– Não apenas um bom líder, mas o maior líder de todos os tempos – Simeão reenfatizou. – Cheguei a esta conclusão por razões que muitos de vocês podem não suspeitar, mas garanto-lhes que a maioria delas é muito pragmática.

– Oh, por favor, essa não! – o sargento irrompeu. – Não vim aqui para isso. Eu vim aqui – não, eu fui mandado aqui – para aprender alguma coisa sobre liderança.

– Desculpe-me, Greg, mas pega leve! – rebati.

Simeão perguntou: – Você gostou da definição de liderança que demos juntos há dois dias, Greg?

– Sim, de fato gostei. Eu mesmo contribuí para ela.

– Isso mesmo, você ajudou, Greg. Concordamos que liderança era a capacidade de influenciar pessoas para trabalharem entusiasticamente na busca dos objetivos identificados como sendo para o bem comum. Está certo?

– Está certo.

– Bem, não conheço ninguém, vivo ou morto, que possa chegar perto de Jesus Cristo na personificação dessa definição. Vamos olhar os fatos. Hoje, mais de dois bilhões de pessoas, um terço dos seres humanos deste planeta, se dizem cristãos. A segunda maior religião do mundo, o islamismo, é menos da metade menor do que o cristianismo. Dois dos maiores dias santos deste país, Natal e Páscoa, são baseados em eventos da vida de Jesus, e nosso calendário até conta os anos a partir do nascimento dele, há dois mil anos. Não me importa se você é budista, hinduísta, ateu ou da "igreja da moda", ninguém pode negar que Jesus Cristo influenciou bilhões, hoje e ao longo da História. Ninguém está próximo do segundo lugar.

– Entendo você.

– E como você descreveria o estilo de liderança da administração de Jesus? – a enfermeira perguntou.

O pregador de repente exclamou: – Acabo de ter uma pequena revelação e preciso falar. Se bem me lembro, Jesus simplesmente disse que para liderar você deve servir. Acho que você poderia chamar isso de liderança a serviço. Lembre-se, Jesus não usava o estilo de poder simplesmente porque não tinha poder. O rei Herodes, Pôncio Pilatos, os romanos, toda aquela gente tinha poder. Mas Jesus possuía muita influência, o que Simeão chama de autoridade, e é capaz de influenciar pessoas até os dias de hoje. Ele nunca usou o poder, nunca forçou ou coagiu ninguém a segui-lo.

– Simeão, eu preferia ouvir você falar sobre seu próprio sucesso como líder – a treinadora sugeriu. – Como é que você descreveria seu estilo de liderança?

– Devo confessar que é um estilo copiado de Jesus, mas estou feliz por compartilhá-lo com você. Eu o recebi de graça, por isso o darei de graça – ele disse com um sorriso divertido.

Dirigiu-se ao quadro e de novo desenhou um triângulo de cabeça para baixo, dividido em cinco partes. Na parte de cima escreveu *liderança,* dizendo: – Como estamos tratando de liderança, eu a colocarei no topo da pirâmide. A pirâmide de cabeça para baixo simboliza o modelo de liderança a serviço. E, uma vez mais, como definimos liderança, Greg?

MODELO DE LIDERANÇA

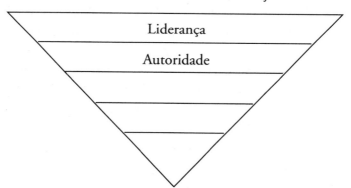

– Como uma habilidade de influenciar pessoas para trabalharem entusiasticamente na busca dos objetivos identificados como sendo para o bem comum. Sei isso de cor.

– Obrigado, Greg. A liderança que se exerce a longo prazo, suportando o teste do tempo, deve ser construída sobre autoridade – Simeão anunciou, afastando-se do quadro.

– Como eu disse no outro dia – ele continuou –, você pode até aproveitar-se do fato de ocupar um lugar de poder, mas assim estará comprometendo os relacionamentos, o que dificultará o exercício e a aceitação de sua influência. Alguém lembra como definimos autoridade?

A enfermeira falou alto, sem mesmo consultar suas notas. – Você disse que era a capacidade de levar as pessoas a realizarem a sua vontade de bom grado, por causa de sua influência pessoal.

– Isso mesmo. Obrigado, Kim. Então, como construir influência sobre as pessoas? Como conseguir que as pessoas realizem de bom grado o nosso desejo? Como envolver as pessoas e fazer com que se comprometam com o que você diz? Sobre o que se constrói a autoridade?

– Jesus disse que a influência e a liderança são construídas sobre o serviço – respondeu o pregador. – Quando fizemos ontem o exercício, descrevendo alguém que nos liderou com influência e autoridade, a pessoa que escolhi foi minha primeira chefe e mentora. Ela realmente se importava comigo e com o desenvolvimento de minha carreira, talvez até mais do que com a dela. É como você disse, Simeão. Ela preencheu minhas necessidades mesmo antes de eu saber que eram necessidades. Ela me serviu sem mesmo eu saber que isso estava acontecendo.

– Obrigado por essa contribuição, Lee, você acertou. A autoridade sempre se constrói sobre serviço e sacrifício. De fato, tenho certeza de que cada um de vocês refletirá por um momento sobre a pessoa que elegeu no exercício que fizemos sobre a autoridade. Estou certo de que escolheram uma pessoa que de algum modo serviu vocês e se sacrificou por vocês.

Imediatamente pensei em minha mãe.

– Mas realmente, Simeão, se você não notou, este é um mundo de poder – o sargento insistiu. – Você pode nos dar alguns exemplos em que o serviço, o sacrifício e a construção da influência foram realmente eficientes para obter resultados no mundo real?

– Bem, que tal a vida de Jesus? – o pregador aparteou. – Ele mudou o mundo sem exercer poder, só influência. De fato, recentemente fiz um sermão sobre isso. Jesus disse uma vez: "Eu trarei todos os homens para mim se me levantar." Ele estava de fato descrevendo seu sacrifício de ser erguido numa cruz. E certamente arrastou muitos como resultado de seu sacrifício.

– Acabe com a pregação – o sargento rebateu, com o rosto vermelho. – Não me fale de uma coisa que aconteceu há dois mil anos. Eu quero saber do mundo real.

– Vamos ver alguns exemplos deste século, então – disse Simeão. – Você se lembra daquele homenzinho da Índia? Ele conseguiu que algumas coisas fossem feitas usando autoridade e nenhum poder.

– Gandhi – a professora lembrou. – Por falar em não ter poder, aquele grande homem tinha menos de 1,60m de altura e pesava cerca de cinqüenta quilos! Gandhi viveu em um país oprimido, com cerca de um terço de bilhão de pessoas, uma nação escrava do Império Britânico. Gandhi declarou que obteria a independência da Inglaterra sem recorrer à violência. A maioria das pessoas zombou, mas ele conseguiu.

– Como ele fez isso? – o sargento perguntou.

– Gandhi sabia que tinha que chamar a atenção do mundo para que as pessoas pudessem começar a ver a injustiça do que estava acontecendo na Índia. Ele disse a seus seguidores que teriam que se sacrificar para servir à causa da liberdade, mas através de seu sacrifício começariam a chamar a atenção de todas as partes do mundo. Ele lhes disse que teriam que suportar dor e sofrimento nessa guerra não-violenta de desobediência civil, exatamente igual à dor e ao sofrimento de todas as guerras. Mas estava convencido de que eles não podiam perder. Gandhi serviu pessoalmente à causa e se sacrificou muito por ela. Foi preso e açoitado por seus atos de desobediência civil. Fez muitos jejuns rigorosos para chamar a atenção sobre a situação da Índia. Serviu à causa e se sacrificou por ela, pela liberdade do país, até o mundo tomar conhecimento. Finalmente, em 1947, não a-penas o Império Britânico deu a independência à Índia como recebeu Gandhi em Londres, com uma parada de herói. Ele fez tudo sem recorrer a armas, violência ou poder. Ele usou apenas influência.

– E não se esqueça de Martin Luther King – a treinadora acrescentou. – Eu fiz minha tese sobre ele na faculdade. Poucas pessoas sabem que King foi à Índia no final dos anos 1950 para estudar os métodos de Gandhi. O que ele aprendeu causou grande impacto no Movimento dos Direitos Civis, no princípio dos anos 1960.

– Eu era uma garota no início dos anos 1960 – observou a enfermeira –, mas sei que no Sul os negros tinham que sentar-se na parte de trás do ônibus, em setores especiais nos restaurantes, se é que o restaurante os receberia, beber em bebedouros separados e suportar humilhações ainda piores. Acho difícil acreditar que esse tipo de discriminação de fato existiu.

O sargento disse vagarosamente: – E isso foi cem anos depois da Guerra Civil! Imaginem aquela guerra, americanos matando americanos. Acreditem ou não, perdemos mais americanos naquela guerra do que nas outras guerras juntas.

A enfermeira acrescentou: – E no entanto todo o poder, sangue e sofrimento daquela guerra não mudaram a situação cem anos mais tarde. Se uma pessoa branca entrasse num ônibus e todos os assentos estivessem ocupados, uma pessoa negra teria que ficar em pé e ir para o fundo.

Chris continuou: – O Dr. King reconheceu que não tinha poder para fazer nada a respeito disso. Mas, como Gandhi, acreditava que se sacrificando pela causa ele poderia chamar a atenção da nação para as injustiças que os negros suportavam. Alguns, como Malcolm X e os Black Panthers, tentaram contrapor poder com poder. A genialidade do Dr. King consistiu em afirmar que podia conquistar direitos civis para os negros sem usar violência. Muitos riram dele, também.

A diretora disse: – O caminho de King foi difícil. Ele sofreu incontáveis ameaças de morte, de violência à sua família, passou tempo na prisão por sua desobediência civil, e até sua casa e sua igreja foram bombardeadas.

– E vejam o que o Dr. King e o Movimento dos Direitos Civis conseguiram em poucos anos – a treinadora acrescentou. – O Dr. King foi o homem mais jovem a ganhar o Prêmio Nobel da Paz. Foi o Homem do Ano da revista *Times* – o primeiro negro americano a receber essa distinção. A legislação mais abrangente sobre direitos civis jamais promulgada – o Decreto dos Direitos Civis de 1964 – tornou-se lei e ainda hoje vigora. Entre outras muitas conquistas, um homem negro foi indicado para a Suprema Corte do país.

A enfermeira acrescentou: – E os negros não tiveram que sentar-se no fundo do ônibus ou beber em bebedouros separados, e puderam sentar-se no balcão dos restaurantes. É impressionante o que King conseguiu sem recorrer ao poder.

Depois de alguns momentos de silêncio, o pregador suavemente observou: – Acabo de lembrar uma coisa. Johnny Carson, o famoso entrevistador da TV, uma vez comentou que havia somente uma pessoa sobre a qual ele jamais poderia contar uma piada. Essa pessoa era Madre Teresa de Calcutá, e era impossível fazer uma piada a respeito dela. Agora, diga-me, por que era impossível?

A treinadora respondeu: – Estou certa de que é por causa da enorme influência que ela teve sobre este país e sobre todo o mundo.

– E como você supõe que ela obteve toda essa autoridade? – o pregador continuou.

– Aquela mulher serviu – a enfermeira respondeu simplesmente.

Senti vontade de falar: – E pense no afeto que os filhos freqüentemente têm por suas mães. As mães, em sua maioria, são intocáveis. Insulte a mãe de alguém e você verá o que quero dizer. Eu faria qualquer coisa por minha mãe quando ela estava viva. Quando reflito sobre isso agora, percebo que esta minha dedicação é fruto da influência que ela exerceu só pelo fato de ter cuidado de mim. Minha mãe serviu.

ATÉ MESMO ANTES DE A CAMPAINHA soar para a sessão da tarde, o sargento insistiu de novo. – Compreendo como a influência, a autoridade, é construída a partir do serviço e talvez do sacrifício pelos outros. Mas como isso se traduz no mundo do trabalho, ou mesmo em minha casa? O que devo fazer? Jejuar todos os dias, procurar leprosos em meu bairro, fazer um protesto na prefeitura? Desculpe, mas não vejo como essa coisa se aplica ao mundo real.

– Obrigado por admitir sua dificuldade, Greg – Simeão respondeu. – Se você está sentindo dificuldade em entender, estou certo de que os outros também estão. Antes do almoço, nós discutimos alguns exemplos históricos de autoridade para ilustrar a questão. Mas não é preciso ser personagem histórico para construir autoridade. Nós a construímos sempre que servimos aos outros e nos sacrificamos por eles. Lembre-se, o papel da liderança é servir, isto é, identificar e satisfazer as necessidades legítimas. Nesse processo de satisfazer necessidades será preciso freqüentemente fazer sacrifícios por aqueles a quem servimos.

– Você está certo, Simeão – a diretora concordou –, para mim faz mesmo sentido que a autoridade seja construída sobre serviço e sacrifício. É a lei da colheita, que todos os fazendeiros conhecem. Você colhe o que planta. Você me serve, eu servirei você. Você se arrisca por mim, eu me arrisco por você. Pensem nisso: quando alguém nos faz um favor, nós não nos sentimos naturalmente devedores?

Simeão caminhou para o quadro dizendo: – Isso ajuda a entender, Greg?

– Vamos continuar para ver como tudo isso se encaixa – foi a resposta azeda.

Simeão apontou para o quadro.

– Em suma, dissemos que a liderança que vai perdurar deve ser baseada na influência e na autoridade. A autoridade sempre se estabelece ao servir aos outros e sacrificar-se por eles. O serviço que prestamos tem origem na identificação e satisfação das necessidades legítimas. Portanto, sobre o que vocês acham que se constroem serviço e sacrifício?

MODELO DE LIDERANÇA

| Liderança |
| Autoridade |
| Serviço e sacrifício |

– Um bocado de esforço – foi a contribuição do pregador.

– Exatamente – Simeão sorriu –, mas eu gostaria de usar a palavra amor, se todos estiverem de acordo.

Achei que o sargento ia ter um infarto à menção do amor, mas ele ficou quieto.

Achei que podia fazer uma pergunta. – Desculpe, Simeão, mas por que você traz a palavra amor para a equação?

– Sim – acrescentou a treinadora –, o que o amor tem a ver com isso?

Simeão não desistiu. – A razão pela qual freqüentemente nos sentimos desconfortáveis a respeito desta palavra, principalmente em ambientes de negócios, é porque quando se fala em "amor" pensamos logo no sentimento. Amanhã falaremos muito mais sobre essa importante palavra. Mas, por ora, basta dizer que quando uso a palavra amor eu me refiro a um comportamento e não a um sentimento.

A diretora disse: – Então, talvez o que você esteja dizendo é que "o amor é o que o amor faz"?

– Lindamente colocado, Teresa – Simeão agradeceu. – Se você permite, vou usar essa frase mais tarde. O amor é isso aí. É exatamente o que quero dizer.

– E sobre o que se constrói o amor? – o sargento grunhiu. – Mal posso esperar para saber.

Simeão voltou ao quadro e escreveu uma palavra simples.

VONTADE

– O amor é sempre fundamentado na vontade. E posso definir esta palavra vontade com uma fórmula que aprendi com Ken Blanchard, o autor daquele pequeno clássico, *O Gerente Minuto*. Eis a primeira metade da fórmula, você está pronto?

– Não consigo nem respirar – o sargento bufou.

Simeão caminhou em direção ao quadro e escreveu:

INTENÇÕES – AÇÕES = NADA

– Intenções menos ações é igual a nada. Todas as boas intenções do mundo não significam coisa alguma se não forem acompanhadas por nossas ações – Simeão explicou.

O pregador observou: – Muitas vezes digo aos meus paroquianos que a estrada para o inferno é pavimentada de boas intenções.

Felizmente, o sargento deixou esse comentário passar.

Simeão continuou: – Durante toda a minha vida profissional ouvi as pessoas dizerem como seus empregados eram sua mais valiosa fortuna. No entanto, as ações dessas pessoas não correspondiam ao que elas diziam, pois se limitavam a fazer com que as tarefas fossem cumpridas. O relacionamento com as pessoas que cumpriam essas tarefas ficava em segundo plano.

– Simeão, tenho pensado – a treinadora começou – que estamos aqui, no alto da montanha hoje, rodeados de beleza, muito próximos uns dos outros. Estamos falando de teoria aqui na montanha, mas logo estaremos de volta ao vale onde as coisas não são tão boas nem bonitas. Aplicar esses princípios lá embaixo não será fácil.

– Exatamente, Chris – Simeão afirmou. – A verdadeira liderança é difícil e requer muito esforço. Tenho certeza de que todos vocês concordam que nossas intenções pouco significam se não forem acompanhadas de nossas ações. Eis por que *vontade* está no vértice do triângulo. Esta é a segunda metade da fórmula.

INTENÇÕES + AÇÕES = VONTADE

Simeão continuou: – Intenções mais ações é igual a vontade. Só quando nossas ações estiverem de acordo com nossas intenções é que nos tornaremos pessoas harmoniosas e líderes coerentes. Eis, portanto, o modelo para liderar com autoridade.

Depois de um minuto ou dois, a enfermeira quebrou o silêncio.

– Deixe-me ver se consigo resumir o que aprendi, Simeão. A liderança começa com a vontade, que é nossa única capacidade como seres humanos para sintonizar nossas intenções com nossas ações e escolher nosso comportamento. É preciso ter vontade para escolhermos amar, isto é, sentir as reais necessidades, e não os desejos, daqueles que lideramos. Para atender a essas necessidades, precisamos nos dispor a servir e até mesmo a nos sacrificar. Quando servimos e nos sacrificamos pelos outros, exercemos autoridade ou influência, a "lei da colheita" de que Teresa falou. E quando exercemos autoridade com as pessoas, ganhamos o direito de sermos chamados de líderes.

MODELO DE LIDERANÇA

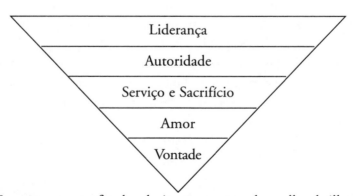

Eu estava em profunda admiração por aquela mulher brilhante.

– Obrigado, Kim – disse Simeão. – Eu não seria capaz de dizer isso melhor. Quem, pois, é o maior líder? Aquele que serviu mais. Outro paradoxo interessante.

– Parece que a liderança se reduz a uma definição de quatro palavras – comentou a diretora excitada. – "Identificar e satisfazer necessidades."

Até o sargento balançava a cabeça afirmativamente quando terminamos o trabalho naquela tarde.

CAPÍTULO QUATRO

O Verbo

Não tenho necessariamente que gostar de meus jogadores e sócios, mas como líder devo amá-los. O amor é lealdade, o amor é trabalho de equipe, o amor respeita a dignidade e a individualidade. Esta é a força de qualquer organização. — VINCE LOMBARDI

ERAM QUATRO HORAS de uma manhã de quarta-feira e eu estava totalmente desperto na cama, olhando para o teto. Embora estivéssemos na metade da semana, parecia que o tempo não passara e que eu acabara de chegar. Na mesma proporção em que o sargento me irritava, eu estava especialmente impressionado com o nível de meus companheiros de retiro e achava as palestras fascinantes, a região bonita e a comida excelente.

Acima de tudo, estava intrigado com Simeão. Ele era mestre em facilitar as discussões em grupo e extrair pensamentos interessantes de cada participante. Os princípios que discutíamos, apesar de bastante simples e às vezes quase óbvios, eram profundos a ponto de me manterem acordado à noite.

Sempre que eu falava com Simeão, ele parecia prestar atenção a cada palavra, o que me fazia sentir valorizado e importante. Era mestre em avaliar situações, analisá-las rapidamente e chegar ao âmago da questão. Quando desafiado, nunca ficava na defensiva, e eu estava convencido de que ele era o ser humano mais seguro que eu jamais conhecera. Eu me sentia grato por ele não me impor sua religião ou outras crenças, mas nem nesse aspecto Simeão era passivo. Ele expunha claramente sua posição a respeito das coisas. Sua natureza era gentil e apaziguadora, ele tinha um sorriso permanente e um brilho nos olhos que transmitia uma verdadeira alegria de viver.

Mas o que eu iria aprender com Simeão? Meu sonho recorrente continuava a me perturbar: "Encontre Simeão e ouça-o!" Haveria alguma razão ou propósito maior para eu estar ali, como Rachel e Simeão acreditavam? Então, qual seria ela?

Como a semana iria acabar em breve, prometi a mim mesmo empenhar-me ao máximo para descobrir.

SIMEÃO ESTAVA SENTADO sozinho na capela quando eu cheguei, dez minutos antes naquela manhã de quarta-feira. Seus olhos estavam fechados e ele parecia meditar, por isso sentei-me numa cadeira ao seu lado, silenciosamente. Mesmo sentado em silêncio ao lado desse homem, eu não sentia qualquer constrangimento.

Vários minutos se passaram até que ele se virasse para mim e perguntasse: – O que você tem aprendido aqui, John?

Buscando algo para dizer, a primeira coisa que me ocorreu foi: – Fiquei fascinado por seu modelo de liderança, ontem. Faz perfeito sentido para mim.

– As idéias e o modelo não são meus – Simeão me corrigiu. – Tomei emprestados de Jesus.

– Sim, Jesus – eu disse me mexendo na cadeira. – Acho que você sabe, Simeão, que eu não sou uma pessoa muito religiosa.

- É claro que você é – ele disse gentilmente, como se não houvesse dúvida a respeito disso.

– Você mal me conhece, Simeão. Como pode afirmar isso?

– Porque todo mundo tem uma religião, John. Todos nós temos alguma espécie de crença a respeito da origem, natureza e finalidade do universo. Nossa religião é simplesmente nosso mapa, nosso paradigma, as crenças com que respondemos às difíceis questões existenciais. São perguntas assim: como o universo foi criado? O universo é um lugar seguro ou hostil? Por que estou aqui? O universo foi feito ao acaso ou há uma finalidade maior? Há algo depois da morte? Todos nós pensamos nessas coisas, claro que alguns mais do que outros. Até os ateus são pessoas religiosas, porque eles também têm respostas para essas perguntas.

– Provavelmente eu não passo muito tempo pensando em coisas espirituais. Sempre fui à igreja luterana local, assim como meus pais, acreditando ser a coisa certa a fazer.

– Lembre-se do que dissemos em sala de aula, John. Tudo na vida é relacional, tanto verticalmente para Deus quanto horizontalmente para o próximo. Cada um de nós tem que fazer escolhas a respeito desses relacionamentos. Para crescer e amadurecer, os relacionamentos têm que ser cuidadosamente desenvolvidos e alimentados. Cada um de nós deve fazer suas escolhas a respeito do que acredita e do que essas crenças representam em nossa vida. Alguém uma vez disse que cada pessoa tem que fazer suas próprias crenças, assim como cada um tem que fazer a própria morte.

– Mas, Simeão, como se espera que saibamos em que acreditar? Como saber o que é a verdade? Há tantas religiões e crenças para escolher.

– Se você realmente está perguntando e buscando a verdade, John, acredito que encontrará o que procura.

Ao final das nove badaladas, Simeão estava pronto para iniciar.
– Como avisei ontem, nosso tópico hoje é amor. Sei que talvez seja um pouco desconfortável para alguns de vocês.

Olhei para o sargento, esperando testemunhar uma explosão, mas ele não chegou a fazer fumaça. Depois de alguns momentos de silêncio, Simeão continuou: – Chris perguntou ontem: "O que o amor tem a ver com isso?" Pois eu quero lhes dizer com muita ênfase que para compreender liderança, autoridade, serviço e sacrifício é importante conhecer esta palavra importante. Comecei a entender o significado real do amor há muitos anos, ainda na faculdade. Eu estudava filosofia naquela época, e alguns de vocês podem se surpreender, mas eu era um verdadeiro ateu.

– Não é possível – Greg gritou. – O Senhor Frade Renascido em pessoa, um descrente? Como pode ser isso, irmão?

Rindo, Simeão respondeu: – Porque, Greg, eu tinha estudado

todas as religiões e nenhuma me parecia plausível. O cristianismo, por exemplo. Eu realmente tentava entender o que Jesus queria dizer, mas ele continuava voltando à palavra *amor*. Disse para "amar seu próximo", o que eu imaginava ser possível contanto que tivesse bons vizinhos. Mas, para piorar as coisas, Jesus insistia em que amássemos "nossos inimigos". Para mim aquilo era pior do que absurdo. Amar Adolf Hitler? Amar a Gestapo? Amar um assassino? Como ele podia ordenar que as pessoas fabricassem uma emoção como o amor? Principalmente com relação a pessoas nada amáveis? Para usar suas palavras, Greg, "comigo não!".

— Agora você está pregando, querido! — o sargento sorriu.

— Então surgiu uma crise em meus paradigmas a respeito da vida e do amor. Uma noite, vários colegas e eu nos reunimos para tomar umas cervejas na taberna local. Um dos professores de línguas veio juntar-se a nós e logo a conversa mudou para as grandes religiões do mundo, até chegar ao cristianismo. Eu disse algo parecido com: "Sim, amar nossos inimigos. Que piada! Então tenho que amar um estuprador!" O professor de línguas me interrompeu dizendo que eu estava interpretando mal as palavras de Jesus. Ele explicou que, ao pensar em amor, eu estava confundindo sentimento com ação. Você sabe, a partir do momento em que tenho sentimentos positivos a respeito de alguma coisa ou alguém, posso dizer que os amo. Geralmente associamos amor com bons sentimentos.

— É verdade, Simeão — a diretora concordou. — De fato, ontem à noite fui à biblioteca e procurei *amor* no dicionário. Havia três definições e eu as escrevi todas: número um, forte afeição; número dois, ligação calorosa; número três, atração baseada em sentimentos sexuais.

— Você vê o que eu quero dizer, Teresa? O amor é definido um tanto mesquinhamente, e a maioria das definições envolve sentimentos positivos. O professor de línguas me explicou que muito do Novo Testamento foi originalmente escrito em grego, e os gregos usavam várias palavras diferentes para descrever o multifacetado fenômeno do amor. Se bem me lembro, uma dessas palavras era eros, da qual se deriva a palavra erótico, e significa sentimentos baseados em atração sexual e desejo ardente. Outra palavra grega para amor, *storgé,* é afeição, especialmente com a família e entre os seus membros. Nem eros nem *storgé* aparecem nas escrituras do Novo Testamento. Outra palavra grega para amor era *philos,* ou fraternidade, amor recíproco. Uma espécie de amor condicional, do tipo "você me faz o bem e eu faço o bem a você" Finalmente, os gregos usavam o substantivo *agapé* e o verbo correspondente *agapaó* para descrever um amor incondicional, baseado no comportamento com os outros, sem exigir nada em troca. É o amor da escolha deliberada. Quando Jesus fala de amor no Novo Testamento, usa a palavra *agapé,* um amor traduzido pelo comportamento e pela escolha, não o sentimento do amor.

– Pensando nisso agora – a enfermeira acrescentou –, parece bobagem tentar mandar alguém ter um sentimento ou emoção por alguém. Neste sentido, aparentemente Jesus Cristo não queria dizer que nós devemos fazer de conta que as pessoas ruins não são ruins, ou nos sentir bem a respeito de pessoas que agem indignamente. O que ele queria dizer era que devemos nos comportar bem em relação a elas. Eu nunca tinha pensado nisso dessa maneira.

A treinadora aparteou: – Claro! Os sentimentos de amor talvez possam ser a linguagem do amor ou a expressão do amor, mas esses sentimentos não são o que o amor é. Como Teresa disse ontem, "o amor é o que o amor faz".

– Falando nisso – acrescentei –, eu percebo claramente que há ocasiões em que minha mulher não gosta muito de mim. Mas ela permanece ao meu lado, de qualquer modo. Ela pode não gostar de mim, mas continua a me amar e manifesta isso por suas ações e envolvimento.

– Sim – o sargento acrescentou surpreendentemente. – Ouvi sujeitos me falarem muitas e muitas vezes o quanto amam suas esposas. Eles falam isso sentados nos bares, caçando mulheres. Ou pais que se derretem de amor pelos filhos mas não conseguem separar quinze minutos do dia para ficar com eles. E alguns dos companheiros do

Exército, que fazem grandes declarações de amor às garotas quando o que querem é ir para a cama com elas. Portanto, dizer e fazer não são a mesma coisa, não é?

– Você pegou a idéia – disse Simeão sorrindo. – Nem sempre posso controlar o que sinto a respeito de outra pessoa, mas posso controlar como me comporto em relação a outras pessoas. Os sentimentos variam, dependendo do que aconteceu na véspera! Meu vizinho talvez seja difícil e eu posso não gostar muito dele, mas posso me comportar amorosamente. Posso ser paciente com ele, honesto e respeitoso, embora ele opte por comportar-se mal.

– Acho que estou me confundindo, irmão Simeão – o pregador interferiu. – Eu sempre acreditei, ao menos esse tem sido meu paradigma, que, quando Jesus disse para "amar seu próximo", ele estava pedindo para que tivéssemos afeto por ele.

– Este é o Jesus que vocês pregadores inventaram para anestesiar as pessoas – zombou o sargento. – Como é que você pode ordenar a alguém que tenha sentimentos positivos por alguém? Bom comportamento ainda dá, mas sentimentos positivos por idiotas é uma grande besteira!

– Por que você tem sempre que ser tão rude com as pessoas? – eu praticamente gritei.

– Só estou dizendo como as coisas são, grande homem.

– E, geralmente, à custa de alguém – retruquei, esperando uma reação, mas Greg apenas me encarou.

Simeão caminhou em direção ao quadro e escreveu:

AMOR E LIDERANÇA

– O Novo Testamento nos dá uma linda definição de amor *agapé,* que ilustra o que estamos dizendo. Essa passagem era uma das favoritas de Abraham Lincoln, Thomas Jefferson e Roosevelt. É sempre lida nos casamentos cristãos. Alguém sabe a que me refiro?

– Ah, sim – respondeu a treinadora. – É a epístola aos Coríntios, que fala das características do amor, não é?

– Essa mesma, Chris – Simeão confirmou. – É o capítulo treze. Diz, em essência, que o amor é paciente, bom, não se gaba nem é arrogante, não se comporta inconvenientemente, não quer tudo só para si, não condena por causa de um erro cometido, não se regozija com a maldade, mas com a verdade, suporta todas as coisas, agüenta tudo. O amor nunca falha. Esta lista de qualidades lhes parece familiar?

Eu observei: – Parece muito com a lista das qualidades de liderança que apresentamos no último domingo, não é?

– Muito parecida, não é, John? – Simeão respondeu sorrindo. – Parafraseando a passagem dos pontos-chave, o amor é: paciência, bondade, humildade, respeito, generosidade, perdão, honestidade, confiança. – Ele escreveu cada palavra no quadro. – Em que lugar da lista vocês vêem um sentimento?

– Todos me parecem comportamentos – respondeu a treinadora.

– Vocês concordam que a linda definição de amor *agapé*, escrita há cerca de dois mil anos, também é uma bonita definição de liderança, hoje?

– Amor *agapé* e liderança são sinônimos. Interessante, muito interessante – o pregador pensou consigo mesmo em voz alta. – Sabe, na velha versão do Novo Testamento, *agapé* foi traduzido como caridade. Caridade e serviço talvez definam melhor *agapé* do que a definição de amor que se encontra nos dicionários.

Simeão voltou ao quadro e escreveu nossa lista de qualidades de caráter do domingo anterior, junto às palavras-chave.

AUTORIDADE E LIDERANÇA	AMOR *AGAPÉ*
Honesto, confiável	Paciência
Bom modelo	Bondade
Cuidadoso	Humildade
Comprometido	Respeito
Bom ouvinte	Generosidade
Mantém as pessoas responsáveis	Perdão
Trata as pessoas com respeito	Honestidade
Incentiva as pessoas	Compromisso
Atitude positiva, entusiástica	
Gosta das pessoas	

Simeão continuou: – Depois do intervalo, eu gostaria de pedir a Teresa que trouxesse o dicionário da biblioteca para podermos definir melhor esses comportamentos. Acho que os resultados irão surpreender alguns de vocês. Estão de acordo?

– Temos escolha? – o sargento perguntou.

– Nós sempre temos escolha, Greg – respondeu Simeão com firmeza.

A DIRETORA ESTAVA COM O DICIONÁRIO aberto no colo, pronta para iniciar. – Simeão, procurei a primeira palavra, paciência, e ela é definida como "mostrar autocontrole em face da adversidade".

Simeão escreveu a definição.

Paciência – mostrar autocontrole

– Deus, conceda-me paciência! – disse Simeão com um sorriso. – Será que a paciência, isto é, mostrar autocontrole, é uma importante qualidade de caráter para um líder?

A treinadora falou primeiro: – O líder deve ser exemplo de bom comportamento para os jogadores, as crianças, os empregados, ou quem quer que esteja liderando. Se o líder gritar ou perder o controle, podem estar certos de que o time também perderá o controle e tenderá a agir de forma irresponsável.

– Também é importante – a enfermeira acrescentou – que você crie um ambiente seguro, em que as pessoas possam cometer erros sem terem medo de ser advertidas de forma grosseira, aos berros. Se você bater num bebê que está aprendendo a andar cada vez que ele cair, o bebê ficará inibido e evitará caminhar para não se arriscar a levar outra surra, não é? Provavelmente ele irá sentir que é mais seguro engatinhar, com a cabeça baixa, sem se arriscar. Exatamente como alguns empregados amedrontados que conheço.

– Ah, saquei – o sargento sorriu maliciosamente. – Se minhas tropas fizerem tudo errado, eu devo falar com muito jeito, sem ficar zangado. Sem dúvida vou obter muito sucesso agindo assim...

– Eu acho que não é disso que estamos falando, Greg – a diretora retrucou. – O líder tem o dever de fazer com que as pessoas se responsabilizem por suas tarefas, apontando suas deficiências. No entanto, há várias maneiras de fazer isso, sem ferir a dignidade dos outros.

Eu me surpreendi dando uma opinião: – Em nossa organização, lidamos com voluntários, que são pessoas adultas. Não são escravos, nem animais que devemos açoitar. Nosso trabalho como líderes é mostrar-lhes a distância entre seu desempenho e o desempenho esperado pela empresa. Isto pode e deve ser feito de forma calma, respeitosa e firme. Não precisa ser uma bronca.

O pregador apropriou-se de meus comentários, dizendo: "Disciplina vem da mesma raiz de discípulo, que significa ensinar ou treinar. O objetivo de qualquer ação disciplinar deve ser corrigir ou mudar o comportamento, treinar a pessoa, e não punir a pessoa. E a disciplina pode ser progressiva: primeira advertência, segunda advertência, aviso final e, por último, "você não pode mais fazer parte deste time".

– Vamos continuar – sugeriu a treinadora. – Como o dicionário define a palavra bondade, Teresa?

Bondade – dar atenção, apreciação, incentivo

Simeão explicou: – Como a paciência e todos os traços de caráter que discutimos, a bondade fala a respeito da forma como agimos, e não como nos sentimos. Vamos considerar a palavra atenção, para começar. Por que a capacidade de dar atenção aos outros seria uma importante qualidade de caráter para um líder?

– Por causa do que aprendemos com o efeito Hawthorne – eu me surpreendi respondendo.

– E o que é o efeito Hawthorne, Johnny, velho companheiro? – o sargento me provocou.

– Se eu me lembro bem, Greg, há muitos anos um pesquisador de Harvard, chamado Mayo, queria demonstrar numa fábrica da Western Electric, em Hawthorne, New Jersey, que havia uma relação direta e positiva entre a melhoria da higiene do trabalhador e sua produtividade. Uma das experiências consistiu simplesmente em aumentar as luzes da fábrica. Constataram que a produtividade dos trabalhadores aumentou. Quando estavam se preparando para continuar a estudar outra faceta da higiene do trabalhador, inadvertidamente os pesquisadores diminuíram as luzes para não misturar as variáveis. Adivinhe o que aconteceu com a produtividade do trabalhador?

– Diminuiu, é claro – respondeu o sargento parecendo chateado.

– Não, Greg, a produtividade dos trabalhadores continuou aumentando! Portanto, o aumento da produtividade não foi causado pelas lâmpadas mais fortes e mais fracas, mas por alguém estar prestando atenção às pessoas. Isso ficou conhecido como o efeito Hawthorne.

– Obrigada por compartilhar isso comigo, John – Simeão agradeceu. – Eu tinha esquecido essa história. Prestar atenção às pessoas foi o que importou. E eu acabei acreditando que, de longe, a maior maneira que temos de prestar atenção às pessoas é ouvindo-as ativamente.

– O que exatamente quer dizer ouvir ativamente, Simeão? – a enfermeira perguntou.

– Muitas pessoas acham erradamente que ouvir é um processo passivo que consiste em ficar em silêncio enquanto outra pessoa fala. Podemos até nos considerar bons ouvintes, mas o que fazemos na maior parte das vezes é ouvir seletivamente, fazendo julgamentos sobre o que está sendo dito e pensando em maneiras de terminar a conversa ou direcioná-la de modo mais prazeroso para nós.

A diretora acrescentou: – Alguém disse certa vez que, se não soubéssemos que a seguir seria nossa vez de falar, ninguém ouviria!

Simeão balançou a cabeça com um sorriso. – Podemos pensar quatro vezes mais rápido do que falamos. Por isso há muito ruído interno –

conversação interna – acontecendo em nossa cabeça enquanto ouvimos.

Tenho que admitir que enquanto Simeão dizia essas palavras minha mente estava lá em casa pensando no que Rachel estaria fazendo naquele momento.

– A tarefa de ouvir ativamente acontece em sua cabeça – ele continuou. – O ouvir ativo requer esforço consciente e disciplinado para silenciar toda a conversação interna enquanto ouvimos outro ser humano. Isso exige sacrifício, uma doação de nós mesmos para bloquear o mais possível o ruído interno e de fato entrar no mundo da outra pessoa – mesmo que por poucos minutos. O ouvinte ativo tenta ver as coisas como quem fala as vê e sentir as coisas como quem fala as sente. Essa identificação com quem fala se chama empatia e requer muito esforço.

A enfermeira acrescentou: – No centro neonatal, definimos empatia como presença total junto à paciente. Presença total não é apenas física, mas mental e emocional também. Não é fácil, principalmente quando há tantas solicitações externas puxando por você. É sinal de respeito estar totalmente presente com alguém que está dando à luz, ouvindo e adivinhando suas necessidades. Nos primeiros tempos como enfermeira de maternidade, muitas vezes eu estava lá fisicamente, mas psicologicamente a quilômetros de distância. Quando estamos totalmente presentes, acho que os pacientes dos mais diversos níveis sentem a diferença e agradecem pelo esforço.

A diretora balançou a cabeça concordando: – Há quatro maneiras essenciais de nos comunicarmos com os outros – ler, escrever, falar e ouvir. As estatísticas mostram que na comunicação uma pessoa gasta em média sessenta e cinco por cento do tempo ouvindo, vinte por cento falando, nove por cento lendo e seis por cento escrevendo. No entanto, nossas escolas ensinam bastante bem a ler e escrever, e talvez até ofereçam uma ou duas línguas eletivas, mas não fazem nenhum esforço para ensinar a prática de ouvir. E esta é a habilidade que as crianças precisarão usar mais.

– Interessante, Teresa. Obrigado. – Simeão continuou: – E quais são as mensagens conscientes e inconscientes que enviamos às pessoas quando nos doamos e as ouvimos atentamente?

A enfermeira respondeu: – O fato de desejarmos colocar de lado todas as distrações, até as distrações mentais, envia uma mensagem poderosa à pessoa que está falando de que você realmente se importa com ela. Que essa pessoa é importante para você. É verdade, Simeão, ouvir é provavelmente nossa grande oportunidade de dar atenção aos outros diariamente, dizendo-lhes o quanto os valorizamos.

A diretora acrescentou: – No início de minha carreira, eu acreditava que meu trabalho era resolver todos os problemas de professores e alunos sempre que surgissem. Ao longo dos anos, aprendi que ouvir e compartilhar o problema da outra pessoa alivia sua carga. Há um efeito catártico em fazer-se ouvir atentamente por outra pessoa e poder expressar-lhe nossos sentimentos. Na parede de minha sala na escola tenho uma citação de um velho faraó egípcio chamado Ptahhotep, que diz: "Aqueles que precisam ouvir os apelos e gritos de seu povo devem fazê-lo com paciência. Porque as pessoas querem muito mais atenção para o que dizem do que para o atendimento de suas reivindicações."

Simeão sorriu, aprovando: – Prestar atenção às pessoas é uma necessidade humana legítima, que não devemos negligenciar como líderes. Lembrem-se, o papel do líder é identificar e satisfazer necessidades legítimas. Ainda me lembro do que minha mãe me disse há cinqüenta anos, no dia em que me casei com minha linda mulher, Rita, Deus tenha sua alma. Ela me disse que nunca ignorasse uma mulher. Desconhecer este conselho na minha relação com Rita me pôs em maus lençóis mais de uma vez! Uma das principais tarefas do amor é prestar atenção às pessoas.

– Pensando nisso – eu disse –, quando houve o movimento sindical na fábrica, me falaram muitas vezes que os empregados se sentiam como se os tivéssemos esquecido, que já não prestávamos atenção neles como fazíamos anos antes.

– Obrigado a todos por seus comentários – respondeu Simeão. – Voltando à nossa definição de bondade, Teresa leu para nós que bondade era dar atenção, apreciação e incentivo aos outros. Você acredita que as pessoas têm necessidade de apreciação e incentivo, ou isso é apenas uma vontade?

O sargento rebateu: – Eu não preciso dessa apreciação. Diga-me qual é o trabalho a ser executado e ele será feito. É assim que eu lidero minha tropas, porque foi para isso que os homens se alistaram e é para isso que estão sendo pagos. Por que cargas-d'água devo fazer todas essas coisas mornas e macias?

O pregador respondeu primeiro: – William James, provavelmente um dos grandes filósofos que este país já produziu, uma vez disse que no centro da personalidade humana está a necessidade de ser apreciado. Acho que todos os que disserem que não têm necessidade de serem apreciados estarão mentindo a respeito de outras coisas também.

– Vai com calma, pregador – o sargento avisou.

A enfermeira o interpelou: – Greg, eu sempre admirei os militares por causa das medalhas e comendas que davam como demonstração pública de sua apreciação pelo serviço e realizações.

– Um general sábio uma vez disse – a diretora acrescentou – que o homem nunca venderá sua vida a você, mas a dará de graça por um pedaço de fita colorida.

. Eu também falei: – Imaginem se eu dissesse à minha mulher: "Querida, eu disse que amava você quando nos casamos. Se deixar de amá-la, não se preocupe. Voltarei para casa uma vez por semana trazendo um cheque." Que tipo de relacionamento seria esse?

Para minha surpresa, o sargento balançou a cabeça a cada um dos comentários, sem contestar.

A enfermeira disse outra vez: – Uma das mentoras de minha vida foi minha primeira enfermeira instrutora em trabalho de parto, há quase vinte anos. Uma vez ela me contou que gostava de imaginar cada funcionária usando aquele tipo de anúncio sanduíche. Na parte da frente, o anúncio diria "Aprecie-me", e na de trás, "Faça-me Sentir Importante". Aquela mulher tinha grande autoridade com as pessoas. Eu só não sabia, naquele tempo, que o nome era autoridade.

A professora continuou. – Podemos manifestar bondade, uma das qualidades do amor, independentemente dos nossos sentimentos por alguém. Como já dissemos, amor não é como nos sentimos a respeito dos outros, mas como nos comportamos com os outros. Deixe-me ler o que George Washington Carver disse sobre a bondade: "Seja bom com os outros. A distância que você caminha na vida vai depender da sua ternura com os jovens, da sua compaixão com os idosos, sua compreensão com aqueles que lutam, da sua tolerância com os fracos e os fortes. Porque algum dia na vida você poderá ser um deles."

A treinadora disse: – Também acho importante elogiar as pessoas. Valorize as coisas boas que elas fazem em vez de ser como o "gerente-gaivota", que vive procurando pegar os erros das pessoas.

– Sabe o velho ditado: "Achamos o que buscamos"? – foi a vez do pregador. – É verdade. Os psicólogos chamam isso de "percepção seletiva". Por exemplo, minha mulher e eu começamos a procurar uma minivan, e nos interessamos por uma determinada marca. Antes de procurar uma van desta marca para comprar, eu nunca prestara atenção nelas, nas estradas. Mas, a partir do momento em que me interessei, comecei a vê-las por todo lado! Acho que o mesmo acontece com o líder. Quando começa a procurar o bem nos outros, ficando atento para o que as pessoas fazem bem, de repente você começa a ver coisas que nunca tinha visto antes.

A professora acrescentou: – Receber elogio é uma legítima necessidade humana, essencial nos relacionamentos saudáveis. Entretanto, há duas coisas importantes a considerar. Uma é que o elogio deve ser sincero. Dois, deve ser específico. Entrar num departamento da empresa dizendo "todo mundo fez um grande trabalho" será insuficiente e pode até causar ressentimento, porque talvez nem todos tenham feito um grande trabalho. É importante ser sincero, específico, e dizer: "Joe, parabéns por ter produzido duzentas e cinqüenta peças ontem à noite. Grande realização!" E nós sabemos como é importante reforçar um comportamento específico, porque o que é reforçado é repetido.

– Vamos ver a terceira palavra em nossa definição de amor. É humildade – a diretora falou, folheando o dicionário.

Humildade – ser autêntico, sem pretensão, orgulho ou arrogância

A diretora perguntou: – Qual é a importância da humildade para um líder, Simeão? Quase todos os líderes que conheço são muito egoístas e pretensiosos.

O sargento retrucou: – O líder tem que ser um chefe forte, capaz de dar um chute no traseiro quando necessário. Desculpe, mas não compro essa idéia.

O pregador interveio: – A Torá, que é o primeiro dos cinco livros do Velho Testamento, afirma no Livro dos Números que o homem mais humilde que jamais viveu foi Moisés. Lembre-se quem foi Moisés. Foi quem atirou as tábuas com os Dez Mandamentos montanha abaixo num acesso de raiva, quem matou um egípcio que matara um companheiro hebreu, foi aquele que estava constantemente discutindo e brigando com Deus. Ele lhe parece um tipo de homem tímido, digno de pena, Greg?

– Qual é a sua, pregador? – Greg respondeu sarcasticamente.

A treinadora interferiu suavemente: – Acho que o que queremos de nossos líderes é autenticidade, a habilidade de serem verdadeiros com as pessoas – nós não queremos líderes inchados de orgulho e fixados em si mesmos. O ego pode de fato interpor-se no caminho e criar barreiras entre os líderes e seus liderados. Os líderes arrogantes que acham que sabem tudo são um estrago para muitas pessoas. Essa arrogância também é uma pretensão desonesta, porque ninguém sabe tudo ou tem tudo. Humildade para mim é pensar menos a respeito de si mesmo.

– Precisamos uns dos outros – a enfermeira disse tranqüilamente.

– Os arrogantes e orgulhosos fingem que não precisam. O individualismo que predomina em nosso país é mentiroso e cria a ilusão de que não somos e não devemos ser dependentes de outras pessoas. Que piada! Um par de mãos me tirou do útero de minha mãe ao nascer, outro trocou minhas fraldas, me alimentou, me nutriu, outro ainda me ensinou a ler e escrever. Agora, outros pares de mãos cultivam minha comida, entregam minha correspondência, coletam meu lixo, fornecem-me eletricidade, protegem minha cidade, defendem minha nação. Um par de mãos cuidará de mim e me confortará quando eu ficar doente e velha, e, por fim, outro par de mãos me levará de volta à terra quando eu morrer.

Simeão folheou suas notas e disse: – Um professor anônimo de espiritualidade uma vez escreveu: "Ser humilde é ser real e autêntico com as pessoas e descartar as máscaras falsas." O que vem a seguir, Teresa?

– Respeito – a diretora começou a ler outra vez: – O respeito é definido assim: "tratar as pessoas como se fossem importantes".

Respeito – tratar as pessoas como se fossem importantes

– Agora você me confundiu de vez! – o sargento disse. – Isto é, eu comecei a ficar nervoso quando você falou sobre influência e amor. Agora você diz que tenho que beijar o traseiro das pessoas com bondade, apreciação e respeito. Ouça, sou sargento, fui treinado para agir usando a autoridade, este é meu estilo. O que você me pede não é natural para mim.

– Greg – Simeão interveio calmamente –, se eu trouxesse um general-de-exército à sua base, creio que você seria muito respeitoso e reconhecido e exibiria muitos dos comportamentos sobre os quais estamos discutindo. Usando seus termos, provavelmente eu veria muita "puxação de saco" na sua atitude, não é mesmo?

Encarando Simeão, o sargento respondeu: – Esteja certo que sim! O general é um homem muito importante e merece e terá esse respeito de minha parte.

– Ouça o que você está dizendo, Greg – falei. – Você está dizendo que sabe como respeitar e apreciar, você sabe como "puxar o saco", mas deseja apenas fazer isso pelas pessoas que considera importantes. Assim, você é capaz de ter comportamentos positivos, mas é muito seletivo em relação às pessoas a quem os destina.

Simeão retomou a palavra a partir daí: – Vocês acham que podemos tratar todos aqueles que lideramos como pessoas muito importantes? Imagine tratar Chucky da retroescavadeira como se fosse o presidente da companhia, ou nossos alunos como se fossem membros da diretoria, ou enfermeiras como se fossem médicos, e soldados rasos como se fossem generais. Greg, você poderia tratar cada membro de seu pelotão como se fosse um general importante?

– Sim, é possível, eu acho, mas seria muito difícil – o sargento concordou relutante.

– Isso mesmo, Greg – Simeão continuou. – Como sempre digo, a liderança requer muito amor. Os líderes devem escolher se desejam ou não dedicar-se àqueles que lideram.

– Mas eu só respeito as pessoas quando elas merecem! – o sargento continuou a objetar. – Afinal, é preciso merecer respeito, não é?

A enfermeira, com seu jeito suave e amigável de falar, respondeu: – Acredito que Deus não criou "lixo humano", apenas pessoas com problemas de comportamento. E todos nós temos problemas de comportamento. Mas acho que todos nós deveríamos ser dignos de manifestações de respeito apenas por sermos seres humanos. A definição que Teresa leu foi "tratar as pessoas como se fossem importantes". Acho que deveríamos acrescentar no final da definição "porque elas são importantes". E se você não aceitar esta idéia, tente outra, a de que as pessoas deveriam merecer "manifestações de respeito" justamente por serem do seu time, do seu pelotão, do seu departamento, da sua família, do seu o que quer que seja. O líder deve ter um interesse especial no sucesso daqueles que lidera. De fato, um de nossos papéis como líder é apoiá-los e incentivá-los para que se tornem bem-sucedidos.

Aquela mulher continuava a me assombrar.

Olhando para o relógio, o sargento disse: – Está bem, está bem, compreendo, mas é melhor irmos andando. Com certeza não queremos perder a cerimônia religiosa do meio-dia, não é mesmo?

SIMEÃO REASSUMIU logo depois da segunda badalada.

– Qual é a próxima palavra de nossa definição do amor, Teresa?

– Primeiro, quero fazer-lhe uma pergunta, irmão Simeão. Por que os frades são tão neuróticos a respeito do tempo? Isto é, por que as coisas têm que ser feitas nas horas exatas, nem um segundo depois?

– Estou contente por você ter perguntado, Teresa. Para dizer a verdade, eu era um tanto fanático a respeito do tempo muito antes de vir para este lugar. Lembre-se, tudo o que o líder faz envia uma mensagem. Se nos atrasamos para uma entrevista, reunião ou outros compromissos, qual é a mensagem que estamos enviando aos outros?

– Pessoas atrasadas me deixam louca! – a treinadora exclamou. – Estou gostando muito do fato de o tempo ser respeitado aqui, porque gosto de saber o que esperar. Respondendo à sua pergunta, Simeão, eu capto várias mensagens quando uma pessoa se atrasa. Uma é que o tempo dela é mais importante do que o meu, mensagem que considero bastante arrogante. Atrasar-se também transmite a mensagem de que eu não devo ser muito importante para a pessoa, porque ela certamente seria pontual com alguém que ela achasse importante. Também me passa que a pessoa não é muito honesta, porque pessoas honestas cumprem a palavra e seguem os compromissos, inclusive os de tempo. Atrasar-se é um comportamento extremamente desrespeitoso e, pior, cria hábito. – A treinadora tomou fôlego depois do discurso. – Obrigada, por permitir-me pregar.

Simeão sorriu, dizendo: – Acho que não há nada mais a ser dito a respeito disso. Espero ter respondido às suas perguntas, Teresa. Qual é a próxima definição?

Abnegação – satisfazer as necessidades dos outros

– Obrigado, Teresa. O oposto de abnegação é egoísmo, que significa "minhas necessidades primeiro, ao diabo com suas necessidades", certo? Abnegação significa satisfazer as necessidades dos outros, mesmo que isso implique sacrificar suas próprias necessidades e vontades. Esta também seria uma linda definição de liderança. Satisfazer as necessidades dos outros mesmo antes das suas.

Surpreendentemente, o sargento disse: – No campo de batalha, as tropas sempre fazem suas refeições antes dos oficiais.

Eu me surpreendi protestando desta vez: – Mas se estamos sempre satisfazendo as necessidades das outras pessoas, elas não ficarão mimadas e começarão a tirar vantagem de nós?

– Você não ouviu bem, John, velho companheiro – o sargento riu em silêncio. – Devemos satisfazer necessidades, não vontades. Se dermos às pessoas o que elas legitimamente exigem para seu bem-estar mental ou físico, acho que não devemos nos preocupar pensando que as estamos mimando. Lembre-se, John, satisfazer necessidades, e não vontades, ser um servidor, não um escravo. Como estou indo, Simeão?

A sala riu a bandeiras despregadas enquanto Simeão olhava para a diretora, em busca da definição seguinte.

– Perdão é nossa próxima palavra, e está definida como "desistir de ressentimento quando enganado".

Perdão – desistir de ressentimento quando enganado

– Não é uma definição interessante? – Simeão começou. – Desistir de ressentimento quando alguém enganou você. Por que este seria um importante traço de caráter para um líder desenvolver?

– Porque as pessoas não são perfeitas e de uma maneira ou de outra agredirão você – a enfermeira respondeu. – Imagino que na posição de líder isso acontecerá muitas vezes.

O sargento também não gostou desta. – Então, se alguém me engana, eu simplesmente finjo que não me arruinou? Passo a mão em sua cabeça e digo que está tudo bem?

– Não, Greg – Simeão esclareceu. – Isso não seria liderar com integridade. Perdoar não significa desconhecer as coisas ruins que acontecem, nem deixar de lidar com elas à medida que surgem. Ao contrário, devemos ter um comportamento afirmativo com as pessoas, não um comportamento passivo de capacho, ou agressivo, que viole os direitos dos outros. Comportamento afirmativo consiste em ser aberto, honesto e direto com as pessoas, mas sempre de maneira respeitosa. Perdoar é lidar de um modo afirmativo com as situações que aparecem e depois desapegar-se de qualquer resquício de ressentimento. Como líder, se não for capaz de desapegar-se de qualquer resquício de ressentimento, você consumirá sua energia e se tornará ineficiente.

Senti vontade de falar: – Minha mulher é terapeuta e muitas vezes lembra a seus pacientes que o ressentimento destrói a personalidade humana. Acho que a maioria de nós conheceu pessoas que guardam ressentimentos durante muitos anos e se tornam amargas e muito infelizes.

– Obrigado, por todos os comentários – Simeão sorriu. – Vocês lembram que eu disse no domingo que todos nós juntos somos muito mais sábios do que qualquer um de nós? O que o dicionário define como honestidade, Teresa?

– A honestidade é definida como "livre de engano".

Honestidade – ser livre de engano

– Eu pensei que honestidade era não dizer mentiras – falou a treinadora lentamente. – Mas ser livre de engano é bem mais amplo, não é?

– Nós ensinamos às nossas crianças na escola – disse a diretora – que a mentira é qualquer comunicação com a intenção de enganar os outros. Omitir informação ou esconder pedaços da verdade podem ser considerados "pequenas mentiras" socialmente aceitáveis, mas ainda assim são mentiras.

– Lembrem-se – Simeão continuou –, a honestidade é a qualidade que a maioria das pessoas colocou no topo de sua lista como o que mais esperam de seu líder. Nós também falamos em confiança, que é construída pela honestidade e mantém a união nos relacionamentos. Mas a honestidade com as pessoas também é o lado difícil do amor e o que lhe dá equilíbrio. A honestidade implica esclarecer as expectativas das pessoas, tornando-as responsáveis, dispondo-se a transmitir tanto as más notícias quanto as boas, dando às pessoas um retorno, sendo firme, previsível e justo. Em suma, nosso comportamento deve ser isento de engano e dedicado à verdade a todo custo.

Meu companheiro de quarto falou outra vez. – Em meu antigo emprego, meu primeiro chefe costumava dizer-me que, se não exigíssemos de nosso pessoal o cumprimento correto de suas tarefas, estaríamos sendo desonestos. Ela ia até mais longe ao dizer que os líderes que não estabelecem e exigem de seu pessoal um alto padrão de responsabilidade são ladrões e mentirosos. Ladrões porque estão roubando o acionista que lhes paga para contratarem empregados responsáveis, e mentirosos porque fingem que está tudo bem com seu pessoal quando de fato tudo está mal.

Acrescentei: – Conheci muitos supervisores que pensavam que, contanto que todo mundo estivesse feliz, a vida em seu setor correria bem. Eles se recusavam a discutir as deficiências de seus liderados com medo de perder prestígio ou de que as pessoas ficassem zangadas com eles. Na realidade, eu nunca me dei conta de como esse comportamento é desonesto. Acho que a maioria das pessoas quer – e elas certamente querem – saber como são avaliadas pelo líder.

– Muito bem. Vamos ver compromisso, Teresa – Simeão pediu.

– Dê-me um segundo. Tudo bem, aqui está. Compromisso é definido como "ater-se às suas escolhas".

Compromisso – ater-se às suas escolhas

Simeão ficou silencioso por um momento antes de dizer: – Compromisso é provavelmente o comportamento mais importante de todos. E por compromisso quero dizer comprometer-se com os compromissos feitos na vida. Isto é importante porque os princípios que estamos discutindo requerem um esforço enorme, e se você não estiver comprometido como líder provavelmente desistirá de exercer autoridade e voltará a uma posição de poder. Compromisso, infelizmente, não é uma palavra popular nos dias de hoje.

– É isso mesmo – disse a enfermeira. – Se não queremos o bebê, abortamos, se não queremos o cônjuge, nos divorciamos, e se não queremos o vovô, praticamos a eutanásia. Uma linda sociedade descartável.

O sargento sorriu e disse: – Sim, todos querem estar envolvidos, mas ninguém quer estar comprometido. Há uma grande diferença entre os dois. A próxima vez que vocês forem comer ovos com bacon lembrem-se disto: a galinha estava envolvida, mas o porco estava comprometido!

– Ótimo, Greg, eu tinha esquecido essa – eu disse, sentindo-me melhor a respeito do sargento à medida que o conhecia.

Ficamos quietos por algum tempo, considerando esses pensamentos. Finalmente, Simeão quebrou o silêncio, dizendo: – O verdadeiro compromisso envolve o crescimento do indivíduo e do grupo, juntamente com o aperfeiçoamento constante. O líder comprometido dedica-se ao crescimento e aperfeiçoamento de seus liderados. Ao pedirmos às pessoas que lideramos que se tornem o melhor que puderem, que se esforcem no sentido de se aperfeiçoarem sempre, devemos também demonstrar que nós, como líderes, estaremos também empenhados em crescer e nos tornarmos o melhor que pudermos. Isso requer compromisso, paixão, investimento nos liderados e clareza por parte do líder a respeito do que ele pretende conseguir do grupo.

– Esse amor, compromisso, liderança, essa doação aos outros, tudo isso me soa como um bocado de esforço e trabalho – eu disse com um suspiro.

– Aposto que sim, John – continuou Simeão –, mas foi com isso que nos comprometemos quando nos candidatamos a líderes. Ninguém jamais disse que seria fácil. Quando optamos por amar e doar-nos aos outros, estamos aceitando ser pacientes, bons, humildes, respeitosos, abnegados, generosos, honestos e comprometidos. Estes comportamentos exigirão que nos coloquemos a serviço dos outros e nos sacrifiquemos por eles. Talvez tenhamos que sacrificar nosso ego ou até nosso mau humor em determinados momentos. Talvez tenhamos que sacrificar nosso desejo de explodir com alguém em vez de ser apenas firmes. Talvez tenhamos que nos sacrificar para amar e nos doar a pessoas que nem mesmo apreciamos.

– Mas, como você disse antes – Teresa comentou –, temos que escolher se queremos ou não nos comportar de maneira amorosa. Quando amamos os outros, e nos doamos a eles, precisamos servir e nos sacrificar. Quando servimos e nos sacrificamos, construímos autoridade. E quando tivermos construído autoridade com as pessoas, então ganharemos o direito de sermos chamados de líderes.

– Compreendo o que você está dizendo – aparteou a treinadora – e talvez concorde com isso. Mas fico com a impressão de que, ao nos comportarmos assim, estamos manipulando as pessoas.

A diretora respondeu: – Manipulação, por definição, é influenciar pessoas para benefício pessoal. Acho que o modelo de liderança que Simeão defende fala em influenciar as pessoas em busca de um benefício mútuo. Se de fato estou identificando e satisfazendo as necessidades legítimas das pessoas que lidero e a quem sirvo, elas também devem estar sendo beneficiadas por minha influência. Concorda, Simeão?

– Como sempre, o grupo conseguiu articular esses princípios melhor do que eu faria. Obrigado.

O pregador contou: – Uma vez ouvi uma fita gravada por Tony Campolo, um pastor bastante famoso, conferencista e educador, em que ele fala de suas sessões de terapia para noivos. Ele diz que, sempre que um casal jovem o procura, ele costuma perguntar: "Por que vocês vão se casar?" A resposta costumeira, claro, é: "Porque nos amamos de verdade." A segunda pergunta de Tony é: "Vocês têm uma razão melhor do que essa, não é?" O casal se olha surpreso, sem compreender a pergunta. "Qual poderia ser uma razão melhor do que essa? Nós de fato nos amamos!" Ele responde dizendo: "Sei que neste momento vocês trocam palavras apaixonadas e que os hormônios estão a todo vapor. Ótimo, aproveitem. Mas o que será do relacionamento de vocês quando esses sentimentos e sensações acabarem?" Como é de esperar, o casal se olha antes de responder num tom desafiador: "Isso nunca acontecerá conosco."

A sala explodiu em risadas.

– Vejo que alguns de vocês estão casados há muito tempo – meu companheiro de quarto continuou. – Todos nós sabemos que os sentimentos vêm e vão, e é o compromisso que nos sustenta. Tony conclui a conversa com os noivos mostrando que cada casamento oferece uma oportunidade para uma união real e profunda, mas que só sabemos se somos capazes de construí-la quando a paixão inicial termina.

– Sim, sim, Lee – Simeão afirmou. – Esse mesmo princípio de compromisso se aplica à liderança. Os comportamentos que estamos discutindo hoje não são tão difíceis com as pessoas de quem gostamos. Muitos homens maus e mulheres más são bons e amigáveis com as pessoas de quem gostam. Mas nosso verdadeiro caráter de líder se revela quando temos que nos doar aos agressivos e arrogantes, quando somos colocados à prova e temos que amar as pessoas de quem não gostamos tanto. É nessas horas que descobrimos nosso grau de comprometimento. É aí que descobrimos a espécie de líder que de fato somos.

Teresa acrescentou: – Acho que foi Zsa-Zsa Gabor quem disse que amar vinte homens durante um ano é fácil se comparado a amar um homem durante vinte anos!

Simeão caminhou para o quadro e completou o diagrama.

– Em nosso modelo, ontem, dissemos que a liderança é construída sobre autoridade ou influência, que por sua vez são construídas sobre serviço e sacrifício, que são construídos sobre o amor. Então, por definição, quando vocês lideram com autoridade serão chamados a doar-se, amar, servir e até sacrificar-se pelos outros. Mais uma vez, amar não é como você se sente em relação aos outros, mas como se comporta em relação aos outros.

A enfermeira concluiu: – O que eu estou entendendo, Simeão, é que o verbo amar pode ser definido como o ato ou os atos de doação aos outros, identificando e atendendo suas legítimas necessidades. É mais ou menos isso?

– Lindo, Kim – foi a simples resposta.

AMOR E LIDERANÇA

Paciência	Mostrar autocontrole
Bondade	Dar atenção, apreciação e incentivo
Humildade	Ser autêntico e sem pretensão ou arrogância
Respeito	Tratar os outros como pessoas importantes
Abnegação	Satisfazer as necessidades dos outros
Perdão	Desistir de ressentimento quando prejudicado
Honestidade	Ser livre de engano
Compromisso	Sustentar suas escolhas
Resultados: Serviço e Sacrifício	Pôr de lado suas vontades e necessidades; buscar o maior bem para os outros

CAPÍTULO CINCO

O Ambiente

Homens e mulheres desejam fazer um bom trabalho. Se lhes for dado o ambiente adequado, eles o farão. — BILL HEWLETT, FUNDADOR, HEWLETT-PACKARD

DEI UMA OLHADA PARA O RELÓGIO ao lado da cama. Eram pouco mais de três horas, quinta-feira de manhã, e lá estava eu de novo contemplando o teto. Eu tinha ligado para Rachel e para o escritório na tarde do dia anterior, para saber como iam as coisas. Fiquei desapontado ao descobrir que tudo e todos estavam bem sem mim.

Eu também estava pensando nas perguntas que Simeão me fizera na manhã anterior. Em que acredito? Por que estou aqui? Qual é o meu objetivo? Há significado para este jogo da vida?

Não me veio qualquer resposta.
Apenas mais perguntas.

Cheguei à capela 15 minutos mais cedo e fiquei orgulhoso de mim mesmo. Na realidade, eu conseguira chegar a uma reunião antes de Simeão!

Ele sentou-se ao meu lado às cinco em ponto e baixou a cabeça, aparentemente rezando.

Após dois minutos, ele se virou para mim e perguntou: – O que você tem aprendido, John?

– A discussão a respeito do amor foi interessante. Na verdade, eu nunca tinha pensado no amor como algo que fazemos para os outros. Sempre pensei no amor como algo que sentimos. Espero que ninguém me bata no trabalho quando eu disser que vou começar a amar todos!

Simeão riu. – Suas ações sempre falarão mais alto e serão muito mais importantes do que suas palavras, John. Lembre-se do comentário de Teresa de que o amor é o que o amor faz.

– Mas que tal amar a mim mesmo, Simeão? O pastor de nossa igreja diz que devemos amar o próximo e a nós mesmos.

– Infelizmente, John, este versículo do Evangelho parece mal citado nos dias de hoje. O texto, de fato, diz: "Ame seu próximo como a si mesmo", e não a você mesmo. Há uma grande diferença. Quando Jesus nos diz para amar os outros como amamos a nós mesmos, ele não está simplesmente constatando que nós nos amamos. Ele está nos pedindo que amemos os outros do mesmo modo como nos amamos.

– O modo como eu me amo? – contestei. – Puxa vida, há ocasiões, principalmente nos últimos tempos, em que não consigo suportar-me, quanto mais amar-me.

– Lembre-se, John, amar *agapé* é um verbo que descreve como nos comportamos, e não como nos sentimos. Há ocasiões em que não gosto muito de mim, também. Acredite, estes são sem dúvida meus melhores momentos. Embora eu não goste muito de mim num determinado momento, ainda continuo a me amar, sabe como? Satisfazendo minhas necessidades. E, infelizmente, muitas vezes quero que minhas necessidades venham antes das necessidades dos outros. Igual a um menino de dois anos.

– Acho que a maioria de nós tem a tendência de querer vir em primeiro lugar, não é?

– Exato, John. Querer ser o primeiro é amar a nós mesmos. Colocar nosso próximo em primeiro lugar e estar atento às suas necessidades é amar nosso próximo. Pense em como perdoamos rapidamente as asneiras e absurdos que cometemos. Perdoamos as asneiras e absurdos de nosso próximo com a mesma rapidez? Você não acha que também nos amamos muito mais rapidamente do que amamos os outros?

– Eu nunca tinha pensado nisso dessa maneira, Simeão – eu disse, meio perturbado.

– Se formos honestos com nós mesmos, teremos que admitir que às vezes nos deleitamos, mesmo que por um momento, com a infelicidade de nosso próximo, com as perdas de emprego, divórcios, casos extraconjugais e outros transtornos. Nós amamos verdadeiramente nosso próximo quando nos preocupamos com seu bem-estar da mesma forma como nos preocupamos com o nosso.

– Mas que tal amar a Deus? – eu perguntei. – O pastor da minha igreja vive dizendo que devo amar a Deus. Mas às vezes a vida me parece tão injusta, que não sei se acredito que Ele existe.

Para minha surpresa Simeão concordou comigo. – Há ocasiões em que me aborreço com Deus e chego a não gostar muito Dele. Em outras ocasiões, meu sistema de crença me parece bem inaceitável. Tenho muitas perguntas, e há coisas na vida que me parecem injustas. Mas o que eu sinto tem pouco a ver com o meu amor por Deus e meu compromisso na relação com Ele. Mesmo quando me sinto mal ou em dúvida, ainda posso amá-lo sendo paciente, atento ao nosso relacionamento através da oração, sendo autêntico, respeitoso, honesto e mesmo perdoando. Posso fazer isso e faço, especialmente quando não tenho vontade. É minha forma de demonstrar o amor de compromisso. Permanecer fiel, embora minha fé possa estar fraca naquele momento.

Alguns frades começavam a entrar em fila e tomar seus assentos.

As últimas palavras de Simeão naquela manhã foram: – O bom é que, quando estamos comprometidos com o amor a Deus e aos outros, e continuamos a investir nesse sentido, comportamentos positivos acabarão produzindo sentimentos positivos, algo que os sociólogos chamam de *práxis*. Vamos falar mais sobre isso amanhã de manhã.

Mesmo antes de o relógio terminar suas badaladas, Simeão anunciou: – Vamos mudar um pouco de assunto e falar sobre a importância de criar um ambiente saudável para as pessoas crescerem e terem sucesso. Eu gostaria de iniciar usando a metáfora de plantar um jardim. A natureza nos mostra com clareza a importância de criar um ambiente saudável se quisermos que o crescimento aconteça. Alguém aqui faz jardinagem?

A treinadora abanou a mão. – Eu tenho um lindo jardinzinho atrás do meu apartamento. Faço jardinagem há mais de vinte anos, e acho que tenho dedo verde.

– Chris, se eu não soubesse nada sobre jardinagem, o que você me aconselharia para ter um jardim saudável?

– Ora, é simples. Eu diria a você para descobrir um pedaço de terra que recebesse muito sol e em seguida trabalhasse o solo para prepará-lo para o plantio. Depois você plantava as sementes, regava, adubava, livrava das pragas e capinava o jardim de tempos em tempos.

– Se eu fizer tudo o que você sugere, Chris, o que acontecerá?

– Bem, no tempo devido, você verá o crescimento das plantas e logo virão as flores e os frutos.

Simeão pressionou mais, perguntando: – Quando os frutos vierem, seria correto dizer que eu fiz o crescimento ocorrer?

– Claro – Chris respondeu impulsivamente. Então fez uma pausa e pensou melhor antes de acrescentar: – Bem, você não fez o crescimento ocorrer, mas ajudou.

– Isso mesmo – Simeão afirmou. – Nós não fazemos as coisas crescerem na natureza. Nosso Criador ainda é o único que sabe como uma pequena semente plantada no solo se transforma em um grande e frondoso carvalho. O melhor que podemos fazer é criar as condições adequadas para que o crescimento se dê. Este princípio é especialmente verdadeiro em relação aos seres humanos. Alguém pode pensar em exemplos para ilustrar o que eu digo?

– Como enfermeira parteira – Kim contribuiu –, posso afirmar que para que uma criança se desenvolva normalmente durante os nove meses do período de gestação é essencial um ambiente saudável dentro do útero. Se as condições não forem perfeitas, o bebê será abortado ou outras complicações poderão surgir.

Meu companheiro de quarto falou a seguir: – Depois que nasce, a criança precisa de um ambiente amoroso e saudável para se desenvolver adequadamente. Lembro-me de ter lido a respeito de orfanatos onde os bebês eram literalmente postos em depósitos com pouco e algumas vezes nenhum contato humano. Vocês sabem o que acontece aos bebês privados de qualquer contato humano?

– Eles morrem – a enfermeira respondeu com suavidade.

– Isso mesmo, literalmente eles murcham e morrem – o pregador concordou.

Depois de alguns momentos, a diretora disse: – No sistema público onde trabalho há muitos anos, você sabe muito bem quais são as crianças que vêm de um ambiente hostil. Nossas prisões estão cheias de pessoas que cresceram em ambientes doentios. Estou convencida de que uma criação adequada dos filhos e um ambiente doméstico saudável são essenciais para uma sociedade saudável. E estou me convencendo cada vez mais de que a resposta ao crime tem pouca relação com a cadeira elétrica e muito mais com o que acontece em casa e na escola. No que se refere à importância de criar um ambiente saudável, estou completamente de acordo com você, Simeão.

A enfermeira acrescentou: – Este princípio também se aplica à medicina. As pessoas às vezes se enganam achando que vão ao médico para serem curadas. No entanto, apesar de todos os avanços da medicina, nenhum médico jamais consertou um osso fraturado ou curou um ferimento. O melhor que a medicina e os médicos podem fazer é prestar assistência através de medicação e terapias, criando as condições adequadas para que o corpo se cure.

– Minha mulher diz a mesma coisa – acrescentei. – Ela me afirma que os terapeutas não têm o poder de curar seus pacientes. O que o bom terapeuta pode fazer é criar um ambiente saudável para o paciente, estabelecendo um relacionamento amoroso baseado em respeito, confiança, aceitação e compromisso. Uma vez criado este ambiente, os pacientes podem iniciar o processo de autocura.

– Exemplos maravilhosos, maravilhosos! – Simeão exclamou. – Espero que esteja ficando claro que criar um ambiente saudável é muito importante para possibilitar o crescimento saudável, de modo especial para seres humanos. Eu venho usando a metáfora do jardim há muito tempo com os mais variados grupos: família, empresa, exército, esportes, comunidade, igreja. Simplificando, penso em minha área de influência como um jardim que precisa de cuidados. De acordo com o que falamos, os jardins precisam de atenção e cuidado, o que nos obriga a perguntar constantemente: do que meu jardim precisa? Meu jardim precisa ser adubado com consideração, reconhecimento e elogios? Meu jardim precisa ser podado? Preciso exterminar as pragas? Todos sabemos o que acontece com um jardim quando se permite que as ervas daninhas e as pestes cresçam à vontade. Meu jardim precisa de atenção constante e acredito que, se eu fizer minha parte e cuidar dele, colherei frutos saudáveis.

– E quanto tempo é necessário para se ver o fruto? – a treinadora perguntou.

– Infelizmente, Chris, conheci muitos líderes que ficaram impacientes e desistiram do esforço antes que os frutos tivessem chance de crescer. Muitas pessoas querem e esperam resultados rápidos, mas o fruto só vem quando está pronto. E é exatamente por isso que o compromisso é tão importante para um líder. Imagine um fazendeiro que tente enriquecer plantando sua colheita no final do outono e esperando obter uma safra antes que a neve caia! A lei da colheita ensina que o fruto crescerá, mas nem sempre sabemos quando esse crescimento ocorrerá.

A enfermeira observou: – Outro fator que determina quando o fruto amadurecerá é o estado das nossas contas bancárias relacionais.

– Que diabo de contas bancárias são essas? – meu companheiro de quarto perguntou.

– Eu aprendi essa metáfora quando li o best-seller de Stephen Covey, *Os 7 Hábitos de Pessoas Altamente Eficazes*. Nas nossas contas bancárias financeiras fazemos depósitos e retiradas, esperando nunca ficar a descoberto. A metáfora da conta relacional nos ensina a importância de manter saudável o equilíbrio dos relacionamentos com as pessoas importantes de nossas vidas, inclusive as que lideramos. Em palavras simples, quando conhecemos uma pessoa, o saldo da conta de relacionamento com ela é neutro, porque vamos iniciar um conhecimento. À medida que o relacionamento amadurece, porém, fazemos depósitos e retiradas nessas contas imaginárias, baseados na forma como nos comportamos. Por exemplo, fazemos depósitos nessas contas sendo confiáveis e honestos, dando às pessoas consideração e reconhecimento, mantendo nossa palavra, sendo bons ouvintes, não falando de outras pessoas pelas costas, usando a simples cortesia de um olá, por favor, obrigado, desculpe, etc. Fazemos retiradas sendo agressivos, descorteses, quebrando promessas e compromissos, apunhalando os outros pelas costas, sendo maus ouvintes, cheios de empáfia, arrogância, etc.

O sargento disse: – Assim, ontem, no intervalo da tarde, quando liguei para minha namorada e ela desligou o telefone na minha cara, aquilo com certeza significa que minha conta está um pouco a descoberto?

– Para mim faz sentido, Greg! – eu ri. – Com nosso movimento sindical, lá na fábrica, com certeza tivemos muitas contas a descoberto. Assim, o que você está dizendo, Kim, é que pode levar mais tempo para o fruto aparecer, dependendo do estágio de nossas contas bancárias relacionais. Está certo?

– Acho que isso seria verdade para as pessoas com as quais já estabelecemos relacionamentos. Para os novatos, de um modo geral, temos um quadro em branco a partir do qual podemos começar.

– Obrigado por outra linda metáfora que podemos usar aqui, Kim – Simeão agradeceu. – Essa idéia da conta relacional também ilustra por que devemos elogiar as pessoas em público e nunca puni-las em público. Alguém sabe por quê?

A diretora falou primeiro. – Quando punimos uma pessoa publicamente, é óbvio que a envergonhamos na frente de seus amigos, o que é uma enorme retirada de nossa conta com essa pessoa. Mas, além disso, quando humilhamos alguém em público, também fazemos uma retirada da nossa própria conta relacional com todos aqueles que presenciam, porque chicotadas em público são constrangedoras e horríveis de presenciar, e as pessoas se perguntam: "Quando será a minha vez?" Neste sentido, uma das formas mais eficientes de fazer retiradas relacionais é punir alguém publicamente.

A treinadora acrescentou: – Acho que o mesmo princípio é verdadeiro quando elogiamos, consideramos e reconhecemos alguém publicamente. Não apenas fazemos um depósito em nossa conta com a pessoa que elogiamos, mas também fazemos depósitos nas contas que temos com aqueles que observam. E, como você disse antes, Simeão, todos estão sempre observando o que o líder faz.

– Isso mesmo, Chris. Tudo o que o líder faz envia uma mensagem – Simeão respondeu. – Em algum lugar do meu escritório tenho um artigo e um levantamento interessantes que falam do alto conceito que as pessoas têm de si mesmas e por que as retiradas relacionais têm um custo tão alto. Vou ver se posso encontrá-los e compartilhá-los com vocês depois do intervalo do almoço.

ERA UMA LINDA TARDE de outono, por isso resolvi fazer um pequeno passeio pelo penhasco arenoso que corre paralelo à praia. O sol brilhava, a temperatura era de aproximadamente 15 graus e uma brisa leve soprava do lago. Esta seria minha idéia de um dia perfeito, mas eu mal pude notar, porque minha mente estava em conflito.

Eu me sentia excitado com as informações que vinha recebendo e com a perspectiva de aplicar os princípios ao voltar para casa. Ao mesmo tempo, porém, eu me sentia deprimido e até perturbado quando refletia sobre meu comportamento anterior e a forma como estivera liderando os que estavam confiados aos meus cuidados. Como seria ter-me como chefe? Ter-me como marido? Ter-me como pai? Ter-me como treinador?

Minhas respostas a essas perguntas só serviram para fazer-me sentir pior.

ÀS DUAS HORAS SIMEÃO DISSE, muito animado: – Achei o artigo e o levantamento de que lhes falei antes do almoço. Estavam num antigo número de *Psychology Today*, e penso que vocês acharão interessante. O behaviorista que escreveu o artigo diz que não há uma relação uniforme entre o feedback positivo e o negativo. Colocando isso em nossos termos de "depósito e retirada", ele afirma que para cada retirada que você faz em sua conta com uma pessoa são necessários quatro depósitos para voltar a ficar igual. Uma proporção de quatro para um!

– Acredito nisso – o pregador respondeu. – Por mais que minha mulher repita que me ama, ainda me lembro que na última primavera ela disse que eu estava ficando muito gordo. Isso acabou comigo!

– Dá para ver por que ela disse isso – ironizou o sargento.

– Exatamente, Lee – Simeão continuou. – Nós todos temos a tendência de ser muito sensíveis, mesmo que tentemos aparentar calma. Para fundamentar esta afirmação, o artigo prossegue discutindo um levantamento realizado para determinar com que realismo as pessoas se vêem. Ouça estes números. Oitenta e cinco por cento do público em geral se vêem como"acima da média". Perguntados sobre sua habilidade de "dar-se bem com os outros", cem por cento puseram-se na metade superior da população, sessenta por cento classificaram-se nos dez por cento mais altos, e vinte e cinco por cento, em um por cento da população. Sobre sua "habilidade para liderar", setenta por cento consideraram-se na parte superior e apenas dois por cento como abaixo da média. E veja os homens. Quando perguntaram aos homens sobre sua "habilidade atlética comparada com outros homens", sessenta por cento classificaram-se na parte superior e apenas seis por cento disseram estar abaixo da média.

– O que quer dizer isso? – o sargento perguntou.

– Para mim, Greg – explicou a treinadora –, é que as pessoas de modo geral têm alta opinião sobre si mesmas. Isso significa que devemos ser muito cuidadosos ao fazer retiradas da conta dos outros porque o custo pode ser muito alto.

A professora acrescentou: – Pense, por exemplo, na confiança. Podemos passar anos nos esforçando para construí-la e ela pode ser perdida em um instante por uma simples indiscrição.

– Ah, lá vamos nós de novo! – exclamou o sargento elevando a voz. – Estamos falando de todas essas teorias boas e bonitas, neste ambiente bom e bonito, mas depois vamos ter que voltar e encarar superiores que são orientados pelo poder e que não estão inte-ressados em triângulos de cabeça para baixo, amor, respeito e contas bancárias relacionais, mas com o desempenho, com a ação. O que fazer se você trabalha para uma pessoa assim?

– Grande pergunta, Greg – disse Simeão sorrindo. – Você está absolutamente certo. Pessoas que se apóiam no poder em geral se sentem ameaçadas pelas pessoas que se apóiam na autoridade. Quando isso acontece, as pessoas do poder reagem, criando situações inconfortáveis para as outras, chegando às vezes a demiti-las. No entanto, há alguns lugares onde podemos tratar as pessoas com respeito e amor, apesar da maneira como somos tratados.

– Você não conhece meu chefe – o sargento insistiu.

Simeão continuou: – Quando eu trabalhava como líder de negócios, era freqüentemente chamado para resolver problemas de companhias que estavam em dificuldade. Uma das primeiras coisas que eu sempre fazia para começar a avaliar a organização era um levantamento da atitude dos empregados. Eu sempre comparava os levantamentos por departamento e até por turnos, para detectar melhor as áreas problemáticas. Até nas companhias mais deterioradas, com resultados terríveis dos levantamentos, eu sempre achava ilhas saudáveis de tranqüilidade aparente no imenso mar de tumulto. Quando eu via os resultados dos levantamentos e identificava uma daquelas áreas saudáveis, procurava saber o que estava acontecendo naquele determinado departamento, naquele determinado turno. E o que vocês acham que eu costumava descobrir?

– Um líder – a enfermeira respondeu tranqüilamente.

– Pode apostar que sim, Kim. Apesar do grande caos, confusão, política de poder e todos os outros problemas, eu encontrava um líder que se responsabilizava por sua pequena área de influência, e isso fazia toda a diferença. Esse líder não conseguia controlar a grande organização, mas, com seu comportamento diário, controlava as pessoas que lhe eram confiadas, lá embaixo, nos porões do navio.

– Engraçado você usar a analogia de um navio, Simeão – observei. – Uma vez um funcionário me disse que os empregados muitas vezes se sentem como Charlton Heston no filme *Ben-Hur.* Lembra-se do velho Charlton Heston acorrentado àquele remo, remando ano após ano? Ele ouvia os sons dos furacões e dos navios colidindo, mas não tinha permissão para subir ao convés e apanhar ar fresco ou nadar no oceano. Havia aquela incessante batida do tambor do sujeito grande e suado para manter o ritmo das remadas.

"De qualquer modo, esse funcionário me disse que os trabalhadores muitas vezes se sentem do mesmo jeito. Eles estão lá embaixo, nos porões do navio, o dia todo, e nunca sobem ao convés para saber o que está acontecendo com o navio. Quando o capitão grita que quer esquiar, o supervisor faz diminuir o ritmo da batida do tambor. E, quando os tempos estão duros, o capitão grita que uns poucos têm que ser atirados ao mar para tornar o navio mais leve. É uma descrição triste.

Meu companheiro de quarto acrescentou: – Tenho uma velha caneca de café onde está escrito:

Não é meu trabalho pilotar o navio;
Nunca soprarei a corneta.
Não é meu lugar dizer até onde
O navio irá.
Não tenho licença para ir ao convés
Ou mesmo tocar o sino.
Mas se esta coisa começar a afundar
Olhe quem vai para o inferno!

– Que maravilha! – falei. – Preciso arranjar uma dessas canecas! Mas você sabe, mesmo que eu opte por comportar-me do jeito que estamos falando, ainda tenho quarenta supervisores que podem não aderir. E eu não posso criar esse ambiente sem a ajuda deles. Mas de que jeito consigo que todos comprem a idéia, Simeão?

– É você quem estabelece as normas do comportamento deles – foi a resposta rápida de Simeão. – Como líder, John, você é responsável pelo ambiente que existe em sua área de influência, e delegaram-lhe poder para cumprir com sua responsabilidade. Portanto, você tem o poder de determinar o comportamento de seus supervisores.

– O que você quer dizer com estabelecer as normas do comportamento deles? – aleguei. – Você não pode normatizar o comportamento de outra pessoa.

– Claro que pode! – o sargento gritou. – Nós fazemos isso o tempo todo no Exército, e estou certo de que você faz isso com as pessoas em sua fábrica. Você tem políticas e procedimentos que todos devem seguir, não é? Você os faz usar o equipamento de segurança, comparecer ao trabalho numa determinada hora e seguir todas as espécies de códigos de conduta no emprego. Você e eu normatizamos o comportamento de nossos liderados o tempo todo.

Eu detestava ter que admitir que Greg estava certo, mas era claro que ele tinha razão. Se um funcionário do serviço de atendimento começasse a comportar-se mal com um cliente, seu emprego estaria em risco. Se os empregados não seguissem nossas regras, eles logo seriam ex-empregados. Nós normatizávamos o comportamento e colocávamos a obediência como condição para manter o emprego. De repente, eu me lembrei de outro exemplo de uma companhia que normatizava o comportamento.

– Meu pai – eu comecei – foi supervisor de primeira linha da fábrica de montagem da Ford em Dearborn durante mais de trinta anos. No início dos anos 1970, fui passar uma hora com ele num sábado pela manhã. Fiquei impressionado ao ver como as pessoas gritavam, xingavam e se zangavam umas com as outras! O lugar parecia uma selva, e os supervisores humilhavam publicamente os empregados sem qualquer condescendência ou hesitação.

– Parece meu local de trabalho – disse o sargento.

Naquele momento percebi que Greg não me irritava mais. Continuei: – Mais tarde, um dos melhores amigos de meu pai, um supervisor, foi transferido para outra fábrica que fazia parte de uma parceria entre a Mazda e a Ford. Durante a primeira semana como supervisor naquela fábrica, o amigo de meu pai pegou um empregado fazendo algo errado e brigou agressivamente com ele na frente de todos, xingando-o no melhor estilo disciplinar de Dearborn. Infelizmente para ele, seu gerente japonês presenciou o incidente e chamou-o à sua sala. Lembre-se, os japoneses são mestres em não perder a linha na frente dos outros. O gerente disse ao amigo de meu pai, com polidez e respeito, que ele estaria sendo advertido uma única vez por aquele tipo de comportamento. Disse-lhe que, se o visse ou ouvisse outra vez comportando-se em público daquele modo, ele seria imediatamente demitido. Aquele supervisor se aposentou naquela fábrica dez anos depois. Ele captou a mensagem. Acho que você poderia dizer, Simeão, que a Mazda tinha uma norma sobre comportamento.

– Exemplo maravilhoso, John – Simeão me disse. – Mas é bom que vocês compreendam que não foi a Mazda que mudou o comportamento do supervisor. Ele mesmo mudou, porque recebeu a mensagem. Não podemos mudar ninguém. Lembre-se do sábio ditado dos Alcoólicos Anônimos: "A única pessoa que você pode mudar é você mesmo."

A enfermeira acrescentou: – Tantas pessoas que conheço agem como se pudessem de fato mudar outras pessoas. Estão sempre tentando consertar as pessoas, convertê-las à sua religião, arrumar sua cabeça, seja o que for. Tolstoi disse que todos querem mudar o mundo, mas ninguém quer mudar a si mesmo.

A treinadora concordou: – Se todos varressem sua calçada, logo a rua inteira estaria limpa.

– Mas, Simeão, nós como líderes podemos motivar as pessoas a mudar, não podemos? – o sargento perguntou.

– Eu defino motivação como qualquer comunicação que influencie as escolhas. Como líderes, podemos fornecer todas as condições, mas são as pessoas que devem fazer as próprias escolhas para mudar. Lembrem-se do princípio do jardim. Não fazemos o crescimento ocorrer. O melhor que podemos fazer é fornecer o ambiente certo e provocar um questionamento que leve as pessoas a se analisarem para poderem fazer suas escolhas, mudar e crescer.

O pregador acrescentou: – Sei de outro lugar onde há normas de comportamento. Algum de vocês já se hospedou no Hotel Ritz Carlton?

– Só um pregador rico como você poderia dar-se o luxo de ficar no Ritz – o sargento zombou.

Ignorando o comentário, meu companheiro de quarto continuou: – Uma vez por ano eu me permito uma extravagância e levo minha mulher ao Ritz, que não fica muito longe de onde moro, para dormir e tomar um café da manhã especial. Assim que você entra pela porta do Ritz, sabe que está num lugar diferente. Isto é, as pessoas se desdobram ao máximo para satisfazer suas necessidades, e a atmosfera de respeito é tão extraordinária que chega a ser palpável. Uma noite no Ritz, antes do jantar, eu estava sentado no bar tomando um coquetel ...

– Um pregador batista tomando coquetel num bar – o sargento desafiou.

– Um daiquiri para minha mulher e Coca Diet com limão para mim, Greg. De qualquer modo, eu fiquei observando os dois rapazes do bar fazerem seu trabalho e presenciando o respeito com que eles tratavam os clientes e seus colegas de trabalho. Aquilo me intrigou, por isso pedi a um dos rapazes: "Gostaria de entender uma coisa." Ele perguntou gentilmente: "Senhor?" Expliquei: "Você sabe, o respeito com que você trata tanto os clientes como os seus colegas. Há alguma razão especial para fazer isso?" Ele respondeu simplesmente: "Oh, nós temos um lema aqui no Ritz que diz: 'Somos senhoras e cavalheiros servindo senhoras e cavalheiros.'" Pedi que me explicasse melhor. Ele me olhou nos olhos e disse: "Quem não se comporta desse jeito não trabalha aqui! Agora o senhor entende?" Eu ri e agradeci, dizendo que tinha compreendido.

A treinadora acrescentou: – A maioria de vocês já ouviu falar de Lou Holtz, o famoso ex-treinador de futebol. Holtz é famoso por sua capacidade de gerar grande entusiasmo nos times que treina. E não é só com os jogadores. Ele consegue entusiasmar a equipe toda – treinadores, secretárias, assistentes, até os mensageiros. Conta-se que uma vez um repórter lhe perguntou: "Como você consegue ter todos tão entusiasmados em seu time?" Lou Holtz respondeu: "É muito simples. Eu elimino os que não são."

CAPÍTULO SEIS

A Escolha

SIMEÃO ACENOU COM A CABEÇA e disse "bom dia" ao chegar à capela sexta-feira de manhã. Ficamos sentados em silêncio por alguns minutos até que ele me fez a pergunta de sempre.

– Estou aprendendo tanto, Simeão, que não sei por onde começar. A idéia de normatizar o comportamento do meu grupo de supervisores, por exemplo. Este é um conceito sobre o qual tenho que pensar de fato.

– Quando eu trabalhava, John, nunca permiti que meu pessoal tivesse extensos manuais cheios de procedimentos e políticas tentando normatizar o comportamento das massas. Eu sempre me preocupava muito mais com o comportamento dos líderes e em normatizar seu comportamento. Se o time da liderança estiver na página certa, o resto seguirá naturalmente.

– Este é um ponto interessante, Simeão.

– Durante minha carreira, eu ia muitas vezes a companhias com problemas, e as pessoas apontavam o Chucky da retroescavadeira ou alguma garota da expedição dizendo que neles estava o real problema. Mas nove vezes e meia em dez, quando eu visitava uma companhia em crise, o problema estava no topo.

– Engraçado você dizer isso, Simeão, porque minha mulher muitas vezes trabalha com famílias problemáticas e constata a mesma dinâmica. Os pais trazem os filhos, dizendo: "Conserte estas crianças! Elas estão pintando o sete por toda a casa!" Por experiência, minha mulher sabe que este comportamento é apenas um sintoma do problema real, que na verdade está muito mais relacionado com a mãe e o pai.

– Um general velho e sábio uma vez comentou que não há pelotões fracos, mas líderes fracos. Você acha que o movimento sindical em sua fábrica foi um sintoma, John?

– Sim, pode ser – respondi, sentindo-me culpado e querendo mudar de assunto. – Fale-me da práxis, Simeão. Você mencionou isso ontem de manhã. Você disse que sentimentos positivos vêm de comportamentos positivos. O que isso significa exatamente?

– Ah, sim, práxis. Obrigado por me lembrar. O pensamento tradicional nos ensina que os pensamentos e os sentimentos dirigem nosso comportamento, e, claro, sabemos que isso é verdade. Nossos pensamentos, sentimentos, crenças – nossos paradigmas – exercem de fato grande influência sobre nosso comportamento. A práxis ensina que o oposto também é verdadeiro.

– Acho que não entendo, Simeão.

– Nosso comportamento também influencia nossos pensamentos e nossos sentimentos. Quando nos comprometemos a concentrar atenção, tempo, esforço e outros recursos em alguém ou algo durante um certo tempo, começamos a desenvolver sentimentos pelo objeto de nossa atenção, ou, em outras palavras, nos tornamos "ligados" a ele. A práxis explica por que adotamos crianças, por que gostamos tanto de bichos de estimação, cigarros, jardinagem, bebida, carros, golfe, coleção de selos e todo o resto de coisas que preenchem nossa vida. Ficamos presos a quem prestamos atenção, com quem passamos tempo ou a quem servimos.

– Talvez isso explique por que eu de fato gosto do meu vizinho. No princípio, pensei que ele fosse o sujeito mais bajulador que eu já tinha visto. Mas, com o passar do tempo, quando fomos forçados a trabalhar juntos com algumas coisas no quintal e na vizinhança, comecei a gostar dele.

– A práxis também trabalha na direção oposta, John. Em tempo de guerra, por exemplo, os países muitas vezes desumanizam o inimigo. Nós os chamamos de "soldados alemães" ou "asiáticos", porque assim os desumanizamos, o que torna mais fácil justificar matá-los. A práxis também ensina que, se não gostamos de uma pessoa e a destratamos, vamos odiá-la ainda mais.

– Deixe-me ver se compreendo, Simeão. A práxis diz que, se me comprometo a amar uma pessoa e a me doar a quem sirvo, e sintonizo minhas ações e comportamentos com esse compromisso, com o tempo passarei a ter sentimentos positivos em relação a essa pessoa?

– É isso mesmo, John. Alguns diriam "fingir para conseguir". Um colega chamado Jerome Brunner, notável psicólogo de Harvard, diz que é mais comum representarmos um determinado sentimento do que agirmos de acordo com o sentimento.

– Sim – respondi. – Muitas pessoas, inclusive eu, pensam ou dizem que mudarão seu comportamento quando sentirem vontade de fazê-lo. Infelizmente, muitas vezes esse sentimento e essa vontade nunca vêm.

– Tony Campolo, o autor que Lee citou quarta-feira, muitas vezes fala sobre o poder da práxis na cura de casamentos. Ele afirma que a perda de sentimentos românticos que leva os casais a se divorciarem pode ser corrigida se o casal desejar. Para obter isso, cada um dos dois assume um compromisso durante trinta dias. Eles se comprometem a tratar o cônjuge da maneira como o tratavam quando havia grandes sentimentos românticos, na época do namoro. A tarefa dele é dizer à mulher como ela é bonita, mandar-lhe flores, convidá-la para jantar fora, etc. – em suma, fazer todas as coisas que fazia quando estava "apaixonado" por ela. A mulher também tem de tratar o marido como um novo namorado. Dizer-lhe que é bonito, preparar seu prato favorito, enfeitar-se para ele, esse tipo de coisa. Campolo afirma que os casais que se comprometem com essas difíceis tarefas retomam os antigos sentimentos. Isso é práxis. Os sentimentos virão em conseqüência do comportamento.

– Mas, Simeão, é tão difícil começar. Forçar-se a dar consideração e respeito a alguém de quem você não gosta, ou comportar-se de maneira amorosa com alguém nada amável me parece uma prisão.

– De fato é. Alongar-se e fazer nascer músculos emocionais é como alongar e fazer crescer músculos físicos. É difícil no princípio. Mas com compromisso e exercício adequado – prática – os músculos emocionais, assim como os físicos, se alongam, ficam maiores e mais fortes do que você possa imaginar.

Simeão não permitiu que eu me escondesse atrás das minhas justificativas.

EU ME SENTEI NA SALA DE AULA olhando o bonito lago azul lá longe. O fogo estalava na lareira queimando um pedaço de madeira perfumada. Era sexta-feira de manhã. Aonde tinha ido a semana?

Simeão esperou com paciência até que a nona badalada soasse.

– Conheci muitos pais, esposos, treinadores, professores e outros líderes que não queriam assumir sua responsabilidade diante das dificuldades de seus relacionamentos. Por exemplo, eles diziam: "Começarei a tratar minhas crianças com respeito quando elas passarem a comportar-se melhor", ou "Eu me dedicarei à minha mulher quando ela mudar seu comportamento", ou "Vou prestar atenção no meu marido quando ele tiver algo interessante a dizer", ou "Investirei em meus empregados quando obtiver um aumento", ou "Respeitarei meus liderados quando meu chefe começar a me tratar com respeito". Tenho certeza de que vocês sempre ouviram a declaração "mudarei quando..." e podem preencher as reticências com várias outras afirmações. Talvez a declaração devesse transformar-se em uma pergunta: "mudarei... quando?".

"Eu gostaria de passar este último dia com vocês falando sobre a responsabilidade e as escolhas que fazemos. Como vimos na quarta-feira, acredito que a liderança começa com uma escolha. Algumas dessas escolhas incluem encarar de frente as tremendas responsabilidades que nos dispomos a assumir e alinhar nossas ações com as boas intenções. Mas muitas pessoas não querem assumir a responsabilidade adequada em suas vidas e preferem ignorar essa responsabilidade.

– Engraçado você dizer isso, Simeão – começou a enfermeira. – No início de minha carreira, trabalhei uns dois anos na psiquiatria de um hospital de uma grande cidade. Uma das coisas que eu logo descobri foi que as pessoas com problemas psicológicos sofrem muitas vezes do que eu chamaria de "doenças da responsabilidade". Os neuróticos assumem responsabilidades demais e acreditam que tudo o que acontece é por culpa deles. "Meu marido é um bêbado porque sou má esposa", ou "Meu filho fuma maconha porque falhei como pai", ou "O tempo está ruim porque não rezei de manhã". Pessoas com problemas de caráter, por outro lado, geralmente assumem muito pouco a responsabilidade por seus atos. Elas acham que tudo o que sai errado é por culpa de outra pessoa. "Meu filho tem problemas na escola por causa dos maus professores", ou "Não posso progredir na companhia porque meu chefe não gosta de mim", ou "Bebo porque meu pai bebia". E ainda há os que ficam no meio, às vezes assumindo responsabilidades demais – os neuróticos –, às vezes de menos – os que têm problema de caráter.

– Você acredita que hoje vivemos em uma sociedade neurótica, ou com problemas de caráter, Kim? – Simeão perguntou.

Antes de ela responder, o sargento exclamou quase gritando:
– Você está brincando? Na América nós nos tornamos tão cheios de doenças de caráter que o mundo todo está rindo de nós! Ninguém mais quer assumir responsabilidade por coisa alguma. Lembra-se do prefeito de Washington, o que foi apanhado fumando crack e disse que era uma intriga racista? E a mulher que asfixiou seus dois filhos no banco traseiro do carro e disse que fez aquilo por ter sofrido abuso sexual quando criança? E os garotos que mataram os pais a tiros e alegaram que eram vítimas de abuso? E os fumantes que processam as companhias de cigarros culpando-as por anos de vício? E o funcionário municipal descontente de São Francisco que baleou o prefeito e o supervisor e alegou que estava temporariamente

insano porque tinha comido doces em excesso! O que aconteceu com a responsabilidade pessoal de nossa sociedade?

– Acredito que um dos problemas – Simeão continuou – foi que exageramos um pouco em Sigmund Freud neste país. Embora Freud tenha dado imensa contribuição ao campo da psiquiatria, e por isso lhe devemos ser gratos, ele plantou as sementes do determinismo que tem dado à nossa sociedade todas as desculpas para os maus comportamentos, evitando assim assumir a responsabilidade adequada por seus atos.

– Você poderia explicar o que é "determinismo", Simeão? – perguntei.

– Levado ao extremo, determinismo significa que para cada efeito ou evento, físico ou mental, há uma causa. Seguir uma receita de bolo é a causa que produzirá o efeito do bolo. Na fábrica de vidro onde você trabalha, John, aquecer areia, cinza e os outros ingredientes é a causa que produzirá o efeito do vidro fundido. O determinismo estrito diz que, se soubermos a causa, física ou mental, poderemos predizer o efeito.

– Mas – o pregador alegou – se admitimos que o conceito de causa e efeito é verdadeiro, chegamos ao paradoxo da criação do mundo, não é mesmo? Isto é, se levarmos o universo de volta ao primeiro segundo do tempo, a fração de segundo que precedeu a grande explosão, qual seria a causa? O que criou o primeiro átomo de hélio, hidrogênio ou o que seja? O paradoxo é que em algum lugar ao longo do caminho algo deve ter vindo do nada. Nós religiosos acreditamos que Deus é a primeira causa.

O sargento resmungou: – E você tem que fazer um sermão todos os dias, não é, pregador?

– Você tem razão, Lee, a ciência nunca solucionou esse paradoxo da primeira causa de maneira convincente – Simeão continuou. – Mas o determinismo que afirma que cada evento tem uma causa acredita de um modo geral que isso é verdadeiro para todos os eventos físicos, embora mesmo esta crença esteja sendo atualmente desafiada. Freud, entretanto, resolveu dar um passo adiante, e aplicou o mesmo princípio à vontade humana. Ele afirmou que os seres humanos essencialmente não fazem escolhas, e que o livre-arbítrio é uma ilusão. Ele acreditava que nossas opções e ações são determinadas por forças inconscientes das quais nunca nos damos conta completamente. Freud afirmou que, se conhecermos suficientemente a ascendência genética e o ambiente de uma pessoa, poderemos predizer seu comportamento e até mesmo as escolhas individuais que fará. Suas teorias dinamitaram o conceito de livre-arbítrio.

A diretora acrescentou: – O determinismo genético permite culpar o avô pelos genes ruins de uma pessoa, explicando por que ela é alcoólatra; o determinismo psíquico permite-me culpar meus pais por minha infância infeliz que me levou a fazer más escolhas; o determinismo ambiental me permite culpar meu chefe pela desgraçada qualidade de minha vida profissional, o que explica por que eu me comporto mal no trabalho! Tenho toneladas de novas desculpas para meu mau comportamento. Isso não é ótimo?

– O velho argumento da natureza versus a criação – a enfermeira observou. – Acho que estamos aprendendo que, embora os genes e o ambiente tenham efeito sobre nós, ainda somos livres para fazer nossas próprias escolhas. Vejam os gêmeos idênticos. Mesmo óvulo, mesmo espermatozóide, portanto os mesmos genes – inato. Ambos cresceram no mesmo lar, ao mesmo tempo – adquirido. Contudo, podem ser duas pessoas muito diferentes.

– Algum de vocês leu sobre as gêmeas siamesas em recente publicação da revista *Life?* – o sargento perguntou. – Elas têm o mesmo corpo, mas duas cabeças completamente separadas. O que é de fato espantoso é que as meninas possuem personalidades diferentes, gostos diferentes, comportamento, etc. Mesmos genes, mesmo ambiente, e no entanto são pessoas diferentes.

Simeão continuou: – Exemplos maravilhosos. Acho que vocês gostarão de um de meus poemas favoritos, de um autor desconhecido. Chama-se "Determinismo Revisitado" e diz assim:

"Fui ao meu psiquiatra – para ser psicanalisado
Esperando que ele pudesse me dizer por que esmurrei ambos os
olhos do meu amor.
Ele me fez deitar em seu sofá para ver o que poderia descobrir
E eis o que ele pescou do meu subconsciente:
Quando eu tinha um ano mamãe trancou minha bonequinha
num baú
E por isso é natural que eu esteja sempre bêbada.
Um dia, quando eu tinha dois anos, vi papai beijar a
empregada
E por isso agora sofro de cleptomania.
Quando eu tinha três anos senti amor e ódio por meus irmãos
E é exatamente por isso que espanco todos os meus amantes!
Agora estou tão feliz por ter aprendido essas lições que me foram
ensinadas
De que tudo o que faço de errado é culpa de alguém!
Que tenho vontade de gritar: viva Sigmund Freud!"

Reparei que a única pessoa que não estava rindo era a treinadora, e por isso perguntei: – Você parece não concordar com esta idéia, Chris. O que está incomodando você?

– Não estou tão certa de termos liberdade de escolha. Por exemplo, há estudos que indicam com clareza que os alcoólicos são muito mais propensos a ter filhos alcoólicos. E alcoolismo não é uma doença? Como você pode dizer que é uma escolha?

– Grande pergunta, Chris – Simeão respondeu. – Vim de uma família atormentada pelo álcool, sei que tenho uma certa predisposição para o alcoolismo e que preciso ter muito cuidado com isso. De fato, quando eu tinha vinte e muitos anos, quase trinta, por pouco não me tornei um alcoólatra. Mas, embora eu possa ser predisposto a ter problema com álcool, faz sentido colocar a responsabilidade pela bebida em meu pai ou meu avô? Ou cabe a mim escolher tomar aquele primeiro gole ou não?

Acrescentei: – Há pouco tempo fiz um curso para executivos sobre ética nos negócios, em que a palavra responsabilidade foi partida em duas – resposta e habilidade. O curso nos ensinou que todos os tipos de estímulos vêm a nós: contas a pagar, maus chefes, problemas com vizinhos e o que mais houver. O estímulo sempre vem a nós, mas, como seres humanos, temos a habilidade de escolher nossa resposta.

– De fato – Simeão disse, falando mais rapidamente –, a habilidade de escolher nossa resposta é uma das glórias do ser humano. Os animais respondem de acordo com o instinto. Um urso de Michigan faz o mesmo tipo de toca que um urso de Montana, e um pássaro azul de Ohio faz o mesmo tipo de ninho que o pássaro azul de Utah. Os golfinhos que ensinamos a saltar sobre arame no Sea World não têm mérito e nem consciência de sua façanha, mas sabem que ao final do show encherão a barriga de peixe.

Simeão prosseguiu: – Imagino que alguns de vocês ouviram falar de Viktor Frankl. Ele escreveu um livrinho famoso chamado *Em Busca de Significado,* que eu recomendaria a cada um de vocês. Frankl, um psiquiatra judeu, formou-se e mais tarde tornou-se professor na Universidade de Viena, a mesma escola que educou Sigmund Freud. Frankl tornou-se seguidor e proponente do determinismo, exatamente como seu mentor e ídolo, Freud. Durante a guerra, Frankl ficou preso em um campo de concentração por vários anos, perdeu quase toda a família e os bens pessoais nas mãos do regime nazista e suportou horríveis experiências médicas no próprio corpo. Ele sofreu muito, e o livro com certeza não é para quem tem estômago fraco. Mas Frankl aprendeu bastante a respeito de pessoas e da natureza humana em meio ao sofrimento, e isso forçou-o a repensar sua posição sobre o determinismo. Deixem-me ler para vocês um trecho desse livro:

Sigmund Freud uma vez afirmou: "Deixe alguém tentar expor à fome diversas pessoas, de maneira uniforme. Com o aumento da urgência imperativa da fome, todas as diferenças individuais obscurecerão e em seu lugar aparecerá a expressão uniforme do único desejo nãosilencioso." Graças a Deus, Sigmund Freud foi poupado de viver a experiência dos campos de concentração. Seus textos deitam-se nos sofás de veludo da cultura vitoriana, não na sujeira de Auschwitz. Lá, as "diferenças individuais" não obscureceram, ao contrário, as pessoas tornaram-se mais diferentes; as pessoas se desmascararam, tanto os porcos quanto os santos...

O homem é essencialmente autodeterminante. Ele se transforma no que fez de si mesmo. Nos campos de concentração, por exemplo, nesse laboratório vivo e nesse solo de testes, nós presenciamos e testemunhamos alguns de nossos companheiros comportarem-se como porcos, enquanto outros comportavam-se como santos. O homem tem ambas as potencialidades dentro de si mesmo: a que se efetiva depende das decisões, não das condições.

Nossa geração é realista porque passamos a conhecer o homem como realmente é. Além do mais, o homem é esse ser que inventou as câmaras de gás de Auschwitz; entretanto, ele também é aquele ser que entrou nessas câmaras de gás de pé, com a oração do Senhor ou a Shema Yisrael nos lábios.

Depois de alguns momentos, a diretora declarou com firmeza: – Olha que magnífica mudança de paradigma! Imagine um genuíno determinista dizendo: "O homem é essencialmente autodeterminante, ele se transformou no que fez de si mesmo", ou, então, de que o modo de ser das pessoas "depende das decisões, mas não das condições". Incrível!

DURANTE A AULA DA TARDE, Simeão repetiu muitas vezes a importância da responsabilidade e da escolha.

– Quero contar a vocês uma história real que me aconteceu há uns sessenta anos. Quando eu estava na sexta série, meu professor, Sr. Caimi, proferiu as palavras que naquele momento bateram em mim como as mais profundas jamais ditas. As crianças da sala estavam reclamando por terem que fazer o dever de casa, e o Sr. Caimi gritou: "Eu não posso obrigar vocês a fazerem o dever de casa!" Aquilo chamou nossa atenção e ficamos quietos. Ele continuou: "Há apenas duas coisas nesta vida que vocês têm que fazer. Vocês têm que morrer e têm que ..."

– Pagar impostos! – interrompeu o sargento.

– Exatamente, Greg, morrer e pagar impostos. Naquele momento eu achei que aquela era a coisa mais libertadora que eu jamais ouvira! Que coisa! Isto é, eu estava apenas na sexta série, e morrer parecia a um milhão de anos de distância. E, como não tinha dinheiro, não podia pagar impostos. Eu me senti absolutamente livre! Quando fui para casa terça-feira à noite, meu pai disse: "Filho, por favor, leve o lixo para fora." Eu respondi: "Ei, espere um minuto, papai. O Sr. Caimi nos ensinou hoje que há somente duas coisas na vida que temos que fazer: morrer e pagar impostos." Nunca esquecerei sua resposta. Ele olhou para mim e disse, muito devagar mas claramente: "Filho, estou contente por você estar aprendendo tantas coisas valiosas lá na escola. Agora, é melhor pegar logo esse lixo porque você acaba de optar por morrer!"

Depois que a risada cessou, Simeão continuou: – Mas, vocês sabem, o Sr. Caimi não disse a verdade naquele dia. Há pessoas que optam por não pagar impostos. Enquanto estou aqui falando, há pessoas nas florestas do noroeste do Pacífico que têm vivido do cultivo da terra desde a Guerra do Vietnã. Elas nem mesmo usam dinheiro, muito menos pagam impostos. Amigos, há apenas duas coisas na vida que vocês têm que fazer. Vocês têm que morrer e fazer escolhas. Dessas não há como escapar.

– E se você simplesmente resolver pular fora da vida e não participar de nenhuma escolha ou decisão? – o sargento interpelou.

A diretora respondeu: – O filósofo dinamarquês Kierkegaard uma vez disse que não tomar uma decisão já é uma decisão. Não fazer uma escolha é uma escolha.

– Então, qual é o sentido de toda esta conferência sobre escolha e responsabilidade, Simeão? – o sargento perguntou.

– Lembre-se, Greg, dissemos que o caminho para a autoridade e a liderança começa com a vontade. A vontade são as escolhas que fazemos para aliar nossas ações às nossas intenções. Estou querendo dizer que, ao final, todos temos que fazer escolhas a respeito de nosso comportamento e aceitar a responsabilidade por essas escolhas. Escolheremos ser pacientes ou impacientes? Bons ou maus? Ouvintes ativos ou meramente silenciosos, esperando nossa oportunidade de falar? Humildes ou arrogantes? Respeitadores ou rudes? Generosos ou egoístas? Capazes de perdoar ou ressentidos? Honestos ou desonestos? Comprometidos ou apenas envolvidos?

– Você sabe, Simeão – o sargento falou mais tranqüilo –, tenho pensado sobre o comentário que fiz no princípio da semana, de como esse comportamento amoroso não parece natural. Lee me chamou a atenção, dizendo que eu escolho agir com consideração pelas pessoas importantes. Mas esse comportamento não me vem naturalmente e eu fico sufocado só de pensar em tentar fazer isso com minhas tropas. Isso não me parece fazer parte da natureza humana.

A diretora ofereceu outra citação: – Um especialista disse que faz parte da natureza humana "ir ao banheiro de calças".

– Onde é que você conseguiu essa? – o sargento perguntou.

– Com o autor de *A Estrada Menos Percorrida,* um psiquiatra e conferencista chamado M. Scott Peck – Teresa sorriu maliciosa. – Parece piada, mas acho bastante profundo. Para uma criança, o treinamento no urinol parece a coisa menos natural do mundo. É tão mais fácil simplesmente fazer tudo nas calças. Mas, com o tempo, essa coisa artificial torna-se natural quando a criança, depois de treinar a autodisciplina, adquire o hábito de usar o vaso sanitário.

– Acho que isso vale para qualquer disciplina – a enfermeira sugeriu. – Seja aprender a usar o vaso sanitário, escovar os dentes, aprender a ler e escrever, ou qualquer nova habilidade que nos disciplinemos a aprender. De fato, agora que penso a respeito disso, disciplina tem como objetivo ensinar-nos a fazer o que não é natural.

– Maravilhoso, maravilhoso – Simeão exclamou. – Através da disciplina, podemos fazer com que o não-natural se torne natural, se torne um hábito. E vocês sabem que somos criaturas de hábitos. Vocês notaram que estão todos sentados nos mesmos lugares em que começaram no domingo de manhã?

– Você está certo, Simeão – respondi, sentindo-me um pouco tolo.

Simeão continuou: – Talvez alguns de vocês já conheçam os quatro estágios necessários para adquirir novos hábitos ou habilidades. Eles tanto se aplicam à aprendizagem de bons hábitos como à de maus hábitos, de boas e de más habilidades, de bons e de maus comportamentos. O interessante é que eles se aplicam totalmente ao aprendizado de novas habilidades de liderança.

Simeão caminhou até o quadro e escreveu:

Estágio Um: Inconsciente e Sem Habilidade

– Este é o estágio em que você ignora o comportamento e o hábito. Isto se dá antes de sua mãe querer que você use o vaso sanitário, antes de você tomar seu primeiro drinque ou fumar seu primeiro cigarro, antes de você aprender a esquiar, jogar basquetebol, tocar piano, datilografar, ler e escrever, o que quer que seja. Você está inconsciente ou desinteressado em aprender a prática e, obviamente, despreparado.

Ele voltou ao quadro e escreveu:

Estágio Dois: Consciente e Sem Habilidade

– Este é o estágio em que você toma consciência de um novo comportamento, mas ainda não desenvolveu a prática. É quando sua mãe começa a sugerir o vaso sanitário; você fumou seu primeiro cigarro, ou bebeu, e isso caiu mal; você pegou os esquis, tentou fazer uma cesta, sentou-se à máquina de escrever ou ao piano pela primeira vez. Tudo é muito desajeitado, antinatural e até assustador.

Mas, se você continuar a lidar com isso, irá para o terceiro estágio. — Ele se virou e escreveu:

Estágio Três: Consciente e Habilidoso

— Este é o estágio em que você está se tornando cada vez mais experiente e se sente confortável com o novo comportamento ou prática. É quando a criança quase sempre consegue se controlar, quando você saboreia os cigarros e a bebida, quando já consegue esquiar razoavelmente, quando o datilógrafo e o pianista não precisam mais olhar para o teclado. Você está "adquirindo o jeito da coisa" neste estágio. Qual seria a evolução final na aquisição de um novo hábito?

— Inconsciente e habilidoso — três pessoas falaram ao mesmo tempo.

— Exatamente — Simeão disse enquanto escrevia:

Estágio Quatro: Inconsciente e Habilidoso

— Este é o estágio em que você já não tem que pensar. É o estágio em que escovar os dentes e usar o vaso sanitário de manhã é a coisa mais natural do mundo. É o estágio final para o alcoólico e o fumante, quando estão praticamente esquecidos do seu hábito compulsório. É quando você esquia montanha abaixo como se estivesse caminhando pela rua. Este estágio descreve Michael Jordan na quadra de basquetebol. Muitos jornalistas esportivos zombaram de Michael Jordan, dizendo que ele joga como se estivesse "inconsciente", o que é uma descrição exata do que acontece, muito mais do que eles imaginam. Com certeza, Jordan não tem que pensar em sua forma e estilo, pois isso se tornou natural para ele. Este estágio também serve para os datilógrafos e os pianistas altamente eficientes, que não pensam em seus dedos batendo no teclado. Tornou-se natural para eles. Greg, este é o estágio em que os líderes conseguiram incorporar seu comportamento aos hábitos e à sua verdadeira natureza. Estes são os líderes que não precisam tentar ser bons líderes, porque são bons líderes. O líder neste estágio não tem que tentar ser uma boa pessoa, pois ele é uma boa pessoa.

– Parece que você está falando da construção do caráter, Simeão – eu sugeri.

– Exatamente, John. A real capacidade de liderança não fala da personalidade do líder, de suas posses ou carisma, mas fala muito de quem ele é como pessoa. Eu achava que liderança era estilo, mas agora sei que liderança é essência, isto é, caráter.

– Sim, tenho pensado nisso – disse meu companheiro de quarto.

– Muitos grandes líderes tiveram diferentes personalidades e estilos muito diversos, e no entanto foram líderes eficientes. Você está certo, Simeão, deve haver muito mais do que apenas estilo.

Simeão acrescentou: – Liderança e amor são questões ligadas ao caráter. Paciência, bondade, humildade, abnegação, respeito, generosidade, honestidade, compromisso. Estas são as qualidades construtoras do caráter, são os hábitos que precisamos desenvolver e amadurecer se quisermos nos tornar líderes de sucesso, que vencem no teste do tempo.

A diretora disse: – Peço licença para fazer mais uma citação que me parece aplicar-se ao que estamos vendo: "Pensamentos tornam-se ações, ações tornam-se hábitos, hábitos tornam-se caráter, e nosso caráter torna-se nosso destino."

– Deus do céu, que beleza de citação, Teresa – exclamou o pregador.

– Sim, Deus seja louvado – o sargento resmungou, quando a sessão terminou.

CAPÍTULO SETE

A Recompensa

Para cada esforço disciplinado há uma retribuição múltipla.
— JIM ROHN

EU ESTAVA SENTADO perto de Simeão em total silêncio, às dez para as cinco de nosso último encontro.

De repente, ele se virou para mim e perguntou: – Qual foi a coisa mais importante que você aprendeu esta semana, John?

– Não tenho certeza, mas acho que é alguma coisa ligada ao verbo amar – respondi imediatamente.

– Você aprendeu bem, John. Muito tempo atrás, um advogado – chamavam os advogados de escribas – perguntou a Jesus qual o mandamento mais importante do judaísmo. Tente compreender o contexto em que esta pergunta foi feita. O judaísmo evoluíra durante séculos e foi gravado em milhares de velhos pergaminhos, mas o advogado queria saber a única coisa mais importante da religião! E Jesus lhe disse simplesmente que era amar a Deus e ao próximo.

– O que significa que amar é mais importante do que ir à igreja ou seguir uma série de regras.

– Descobri que ser apoiado por uma comunidade amorosa em nossa jornada é certamente benéfico, mas amar é muito mais importante. Um sábio cristão chamado Paulo escreveu há cerca de dois milênios que apenas três coisas importam: fé, esperança e amor. E acrescentou que a maior delas é o amor. Acho que com amor você estará no caminho certo, John.

– Sabe, Simeão, você não fez pregação para nós nem nos impôs sua crença religiosa. E você é frade! No princípio, quando cheguei aqui, eu receava ser doutrinado.

– Acho que foi Agostinho quem disse que devemos pregar o evangelho em toda parte aonde formos e usar palavras só quando necessário.

– Sim, bem, acho que você de fato não precisa de palavras. Sua vida é um exemplo para todos nós. Isto é, você é um modelo de generosidade, desistindo de tudo e vindo aqui para servir.

– Ao contrário, John. Há muitas razões que poderiam até ser chamadas de egoístas que me levaram escolher viver e servir aqui. Servir, sacrificar-me, obedecer ao reitor e à congregação produzem maravilhas para quebrar minha natureza autocentrada. Quanto mais quebro meu orgulho e meu ego, mais alegria tenho na vida. John, às vezes sinto uma alegria tão absolutamente indescritível quando me dou aos outros, que egoisticamente fico querendo servir mais!

– Eu gostaria de ter a sua fé, Simeão. Mas a fé, a liderança, o amor e todas as outras coisas sobre as quais falamos esta semana são difíceis para mim e tão naturais para você.

– Lembre-se, John, as coisas não são sempre como parecem ser. Quando eu cheguei aqui, tudo me pareceu muito difícil. Só Deus sabe o quanto lutei e ainda luto para desapegar-me e doar-me aos outros. Mas confesso a você que é mais fácil agora, porque essas coisas se tornaram mais inconscientes e eu me tornei mais habilidoso. E Jesus me ajuda ao longo do caminho.

– Bem, eu sei que você acredita que Jesus o ajuda. Mas eu sinto que preciso de um pouco mais de prova. Infelizmente, você não pode provar a existência de Deus.

– Você está certo, John. Não posso provar a você, empiricamente, a existência de Deus, assim como você não pode, empiricamente, provar-me que Deus não existe. Contudo, vejo a prova da existência de Deus em todos os lugares para onde olho. Você provavelmente vê um mundo diferente do meu. Lembre-se do que falamos antes, não vemos o mundo como ele é, nós o vemos como somos.

– Talvez eu precise começar a olhar para as coisas de maneira diferente.

– Lembre-se do poder da percepção seletiva, John. Vemos e encontramos as coisas que procuramos.

EU ESTAVA SENTADO no sofá meia hora antes da sessão da manhã, hipnotizado pelo fogo e completamente imerso em meus pensamentos. De repente, lágrimas começaram a rolar pelo meu rosto, algo que não acontecia havia mais de trinta anos.

O sargento veio caminhando, sentou-se no sofá perto de mim, bateu no meu joelho e perguntou: – Você está bem, parceiro?

Eu apenas balancei a cabeça. Estranho, para minha surpresa eu não estava envergonhado pelas lágrimas, nem me sentia obrigado a encobri-las. Deixei-as rolarem.

E o sargento continuou sentado lá, perto de mim, em silêncio.

– ESTAS SÃO AS NOSSAS ÚLTIMAS horas juntos em grupo, e estou curioso a respeito dos pensamentos que vocês devem ter sobre o que discutimos. Há algum "sim-mas?" ou "e-se?" na cabeça de alguém esta manhã?

– Estou com a sensação de que é trabalho demais – eu disse, minha voz um pouco quebrada. – O esforço que vai ser necessário para estabelecer influência, o trabalho de prestar atenção, amar, doar-se aos outros, e a disciplina para aprender novas práticas e comportamentos me levam a uma dúvida que me incomoda, Simeão. Vale a pena todo esse esforço?

– John, esta é uma pergunta que eu me fiz várias vezes durante anos. O líder que opta pela autoridade e influência precisa fazer muitas escolhas e sacrifícios. É necessária muita disciplina. Mas para mim é claro que foi para isso que nos inscrevemos quando voluntariamente resolvemos ser líderes.

A treinadora começou a mexer-se na cadeira. – Uma das coisas que dizemos a nossos atletas é que a disciplina exige dedicação e trabalho duro, mas em compensação sempre traz prêmios. Por exemplo, alguém aqui faz exercício regularmente?

– Eu tento andar de patins três ou quatro vezes por semana – disse a enfermeira.

Chris continuou: – Kim, você percebe quais são os prêmios pelo esforço e disciplina para patinar regularmente?

– Claro que sim! – Kim respondeu com entusiasmo. – Eu me sinto melhor, minha mente fica mais clara, patinar me ajuda a manter a forma e a controlar a minha tensão pré-menstrual. Há até um benefício espiritual, pois eu aproveito os momentos em que patino para meditar.

– Nós, treinadores, ensinamos aos jogadores que os ganhos obtidos se aplicam a qualquer disciplina assumida. Pensem nos prêmios pelo treinamento para usar o urinol, escovar os dentes regularmente, aprender a ler e escrever, tocar piano, aprender a costurar, seja lá o que você for aprender a fazer. Neste caso, a disciplina exigida para liderar com autoridade nos trará ganhos e benefícios.

– Você está certa, Chris – Simeão respondeu, parecendo satisfeito. – De fato, há muitos prêmios, ou o que gosto de chamar de "recompensas". Alguém pode citar alguma?

– Bem, vou começar pelo óbvio – a diretora respondeu. – Quando optamos por doar-nos servindo e nos sacrificando pelos outros, nós construímos influência. Um líder que sabe exercer influência é um líder cujas habilidades estão se desenvolvendo.

– Obrigado, Teresa. O que mais?

– Isso nos dá uma missão na vida – o sargento anunciou corajosamente.

– O que você quer dizer com isso, Greg? – Simeão perguntou.

– Uma das razões pelas quais eu gosto da vida no Exército é que ela nos dá uma missão, um objetivo, uma visão – uma razão para acordar de manhã. Como a treinadora disse, há várias recompensas pelo esforço disciplinado, inclusive a disciplina exigida para ser um militar... uma pessoa. A missão de construir autoridade servindo aqueles pelos quais o líder é responsável poderia dar ao líder uma visão real da direção que ele – ou ela – vai tomar. E quando se tem esta visão a vida passa a ter um propósito e um significado.

– Linda colocação, Greg. Muito obrigado por esse presente – Simeão sorriu. – Quando examinamos tudo o que se requer para liderar com autoridade, percebemos logo que isso exige muito trabalho e esforço. O trabalho de tratar os outros com bondade, de ouvir ativamente, de ter e expressar consideração, de elogiar, de reconhecer, de estabelecer o padrão, de deixar claras as expectativas, de dar às pessoas condições para manterem o padrão estabelecido – isto é de fato uma missão diária, como Greg disse.

– Pensando nisso – o pregador acrescentou –, disciplinar-se para liderar com autoridade parece uma declaração de missão pessoal. Há alguns anos, era comum as organizações definirem sua missão e registrarem o seu objetivo. Mas nunca nos demos conta de como é importante ter uma declaração de missão do que queremos e pretendemos como indivíduos. Alguém uma vez disse que, se não tivermos um objetivo definido, nos dispersaremos em ações sem sentido.

– Uma das coisas que aprendi na vida – Simeão acrescentou – foi que as declarações de missão das organizações são boas e acho até que servem a um propósito positivo. Mas nunca devemos esquecer que as pessoas aderem ao líder antes de aderirem a uma declaração de missão. Se aderirem ao líder, elas irão aderir a qualquer declaração de missão que o líder tiver.

A diretora comentou: – Estou muito grata a você, Greg, por levantar essa questão de missão, de objetivo e sentido. Nossos alunos estão à procura, às vezes desesperadamente, do objetivo e sentido do que fazem, e, se essa necessidade não é satisfeita, voltam-se para as gangues, as drogas, a violência e um exército de outros demônios para preencher o vácuo.

Simeão acrescentou: – Uma vez li um estudo sociológico feito a partir de uma pesquisa com cem pessoas de mais de noventa anos. A pergunta era simples: "Se você tivesse que viver sua vida outra vez, o que faria de maneira diferente?" As três principais respostas foram que elas se arriscariam mais, refletiriam mais e realizariam mais coisas que permanecessem depois que elas se fossem.

– Bem, liderar com autoridade por certo significa arriscar-se – o sargento disse sem hesitar. – Se você topar com um chefe que se apóia no poder, é provável que em pouco tempo estará no olho da rua.

– Ei, Greg, tudo na vida é arriscado – eu reagi. – Principalmente para o líder. Você conhece o velho ditado: "Quanto mais perto do alto, tanto mais perto da porta." Bum Phillips, o ex-treinador do Houston Oilers, uma vez disse: "Há apenas duas espécies de treinadores: os que são despedidos e os que estão para ser despedidos!" Encare essa, o líder corre risco de qualquer maneira.

– Eu gosto da parte da pesquisa que fala em refletir mais – a enfermeira disse, tranqüila. – No princípio desta semana, Simeão nos pediu para refletir mais sobre a tremenda responsabilidade de ter seres humanos confiados ao nosso cuidado. Acho que esses cem velhinhos estão certos, devemos refletir mais sobre nossas responsabilidades hoje, e não quando estivermos em um asilo de velhos.

O pregador acrescentou: – Gosto da parte da pesquisa sobre realizar mais coisas que permaneçam depois da nossa morte. Passei muito tempo com idosos, e essa questão de ter trazido uma contribuição para a vida dos outros é fundamental para que o envelhecimento e a morte se dêem em paz. No fim, a única questão importante será: que diferença nossas vidas fizeram no mundo? Se exercermos liderança dentro do conceito que vimos durante esta semana, teremos a oportunidade única de fazer uma real diferença na vida dos outros. A alternativa é seguir a multidão e liderar à maneira antiga do "faça isso ou senão!". Mas, claro, os que seguem a multidão nunca serão seguidos por ela.

A diretora disse: – Fazer diferença na vida dos outros é muito importante. Uma tribo de índios americanos tem um velho ditado que diz: "Quando você nasceu, você chorou e o mundo se regozijou. Viva sua vida de tal maneira que, quando você morrer, o mundo chore e você se regozije."

– Que ditado bonito, Teresa – a enfermeira exclamou. – Simeão, parece-me que outra recompensa seria uma vida de harmonia espiritual. Se de fato estivermos liderando com autoridade, nos doando aos outros, estaremos seguindo a Regra de Ouro. Nossas vidas estarão em sintonia com Deus, ou com nosso poder mais alto, se preferirem. Fiz um curso de religiões comparativas e me lembro de ter lido o clássico de Huston Smith, *The Religions of Man* (As religiões do homem). No epílogo, ele discute o relacionamento entre as grandes religiões do mundo e conclui que num ponto muito importante elas são iguais. Isto é, cada uma das grandes religiões contém uma versão da Regra de Ouro.

– Grande observação, Kim! – a treinadora comentou. – Eu sempre quis saber como integrar minhas crenças espirituais com meu trabalho, e acho que estou encontrando uma pista aqui. Como Vince Lombardi disse: "Nós não temos que gostar dos nossos colegas e sócios, mas, como líderes, somos instados a amá-los e tratá-los como gostaríamos de ser tratados." E como quero ser tratada? Quero que meu líder seja paciente comigo, me dê atenção, me valorize, me incentive, seja autêntico comigo, me trate com respeito, satisfaça minhas necessidades quando surgirem, me perdoe quando eu errar, seja honesto comigo, me dê retorno, me dê condições para atingir os objetivos e por fim seja comprometido. Então, a Regra de Ouro diz como devo me comportar em relação aos meus liderados. Exatamente como eu gostaria de ser tratada.

– Se de fato temos um Pai no céu, e é claro que estou convencido disso – falou Simeão suavemente –, parece-me claro que a regra deste Pai seja que nos amemos uns aos outros. Não amar no sentido de como nos sentimos uns em relação aos outros, mas na maneira como nos comportamos uns com os outros. Deixem-me fazer uma analogia sobre a minha situação de pai de cinco filhos e a situação de Deus com seus filhos. Como pai, e por mais que eu desejasse que fosse diferente, sei que meus filhos nem sempre se darão bem entre si. Sei que haverá conflito. Sei até que eles podem não gostar um do outro. Mas o que espero é que eles se tratem com respeito. Que se tratem como as pessoas importantes que cada um deles é. Que se tratem como gostariam de ser tratados, esta era a norma em minha casa.

Vocês não acham que Deus olha para seus filhos dessa maneira?

Nem mesmo o sargento fez objeção a esta fala durante o intervalo da manhã.

– ESTA É NOSSA ÚLTIMA HORA JUNTOS – Simeão começou. – Discutimos as várias recompensas que nos chegam quando nos disciplinamos para liderar com autoridade. Mas há ainda uma recompensa muito valiosa que deve ser mencionada. É a recompensa da alegria.

– Alegria, Simeão? – o sargento perguntou, respeitoso. – O que é que a felicidade tem a ver com liderança?

– Eu falo de alegria, Greg, não de felicidade, porque a felicidade é baseada em acontecimentos. Se coisas boas acontecem, estou feliz. Se acontecem coisas más, estou infeliz. A alegria é um sentimento muito mais profundo, que não depende de circunstâncias externas. A maioria dos grandes líderes que se apoiaram na autoridade tem falado dessa alegria – Buda, Jesus Cristo, Gandhi, Martin Luther King, até Madre Teresa. Alegria é satisfação interior e a convicção de saber que você está verdadeiramente em sintonia com os princípios profundos e permanentes da vida. Servir aos outros nos livra das algemas do ego e da concentração em nós mesmos que destroem a alegria de viver.

Tive vontade de falar. – Minha mulher me diz que tem muitos clientes autocentrados que jamais cresceram emocionalmente. Ela me explicou isso da seguinte maneira: em certo sentido, os recém-nascidos e as crianças são o máximo em matéria de egoísmo, verdadeiras "máquinas de necessidades e vontades". Para uma criança, suas necessidades e vontades são primárias, exigidas, gritadas, porque de fato a sobrevivência da criança está em jogo. Por volta dos terríveis dois anos, quase todas as crianças praticamente se tornam tiranas, subordinando o mundo a seus desejos e comandos. Infelizmente, muitas pessoas jamais saem do estágio do "eu primeiro!" e passam pela vida como crianças de dois anos vestidas de adultos, querendo que o mundo satisfaça suas vontades e necessidades. Essas pessoas que deixam de crescer se tornam cada vez mais egoístas e autocentradas. Elas constroem muros emocionais em torno de si. Minha mulher me diz que essas pessoas são terrivelmente solitárias e infelizes.

O pregador acrescentou: – Muitas vezes digo aos jovens que um dos benefícios do casamento é dar aos casais a oportunidade de saírem do autocentrismo, tornando-se atentos às necessidades do seu marido ou mulher. Ter filhos é outra oportunidade de crescer e superar nosso egoísmo, ao doar-nos a eles. Um dos desafios da vida de solteiro ou de quem vive sozinho é não se tornar exageradamente autocentrado. As pessoas autocentradas são as pessoas mais solitárias e menos alegres que conheço.

A enfermeira voltou a falar: – Parece que nosso ego, nosso orgulho e egoísmo muitas vezes interferem. Em *The Religions of Man*, de Smith, que mencionei de manhã, ele afirma que todas as grandes religiões do mundo concluem que o maior problema do homem, desde o princípio dos tempos, é sua natureza autocentrada, seu orgulho, seu egoísmo. Algumas religiões referem-se a isso como pecado. Smith conclui que todas as grandes religiões do mundo ensinam a superar nossa natureza egoísta.

O pregador sugeriu: – Minha fé me ensina que o homem nasce com essa maldição chamada pecado original. Talvez nossa natureza egoísta seja o pecado original. Ontem, nós fizemos a pergunta: o que é a natureza humana? Quando pensei nessa pergunta ontem à noite, compreendi que minha natureza mais básica é procurar ser o número um. Concluí que me doar aos outros certamente não é natural! Como Kim disse, disciplinar-se para doar-se aos outros é aprender a fazer o que não é natural.

A diretora acrescentou: – C. S. Lewis, um de meus autores prediletos, uma vez disse que, se você não acreditar que é autocentrado, provavelmente é autocentrado. Para ilustrar sua afirmação, ele nos desafia a olhar para uma coleção de fotografias de família e perguntar a nós mesmos: "Julguei, ou não, a qualidade da foto dependendo de como eu saí nela?"

– Obrigado pela contribuição – Simeão sorriu, balançando a cabeça. – Amar aos outros, doar-nos e liderar com autoridade nos forçam a quebrar nossos muros de egoísmo e ir ao encontro das pessoas. Quando negamos as nossas próprias necessidades e vontades e nos doamos aos outros, crescemos. Tornamo-nos menos autocentrados e mais conscientes dos outros. A alegria é uma conseqüência dessa doação.

A diretora citou outra vez: – Uma vez perguntaram ao Dr. Karl Menninger, famoso psiquiatra, o que ele recomendaria a alguém que estivesse a ponto de ter uma crise nervosa. Ele disse para a pessoa sair de casa, ir ao encontro de alguém necessitado e ajudar essa pessoa.

– Acho isso bastante óbvio – afirmou o sargento. – Quando ajudamos alguém, naturalmente nos sentimos bem. Mesmo quando assino um cheque para uma obra de caridade, acredito que uma das maiores motivações é o fato de isso me fazer sentir bem.

– Obrigado por sua honestidade, Greg – disse Simeão. – Eu tenho uma citação para você de uma de minhas pessoas favoritas, o Dr. Albert Schweitzer. Ele disse: "Eu não sei qual será seu destino, mas uma coisa eu sei. Os únicos que serão realmente felizes são os que buscaram e descobriram o que é servir." Talvez serviço e sacrifício sejam o tributo que pagamos pelo privilégio de viver.

O pregador falou: – No evangelho de João, Jesus diz a seus discípulos que sua imensa alegria poderia ser a alegria deles se obedecessem a seus mandamentos. Ele termina dizendo: "Este é o meu mandamento: que vocês amem uns aos outros, como eu os amei." Jesus sabia que haveria alegria em amar doando-nos aos outros.

– Por favor, vamos voltar ao ponto antes que o pregador comece a passar o pires! – o sargento provocou, desta vez com um sorriso.

Simeão prosseguiu: – O ponto, Greg, é que há grande alegria em liderar com autoridade, servindo aos outros e satisfazendo suas necessidades legítimas. É esta alegria que nos sustentará na jornada através deste acampamento espiritual que chamamos Terra. Estou convencido de que nosso objetivo aqui não é necessariamente ser felizes ou nos satisfazer pessoalmente. Nosso objetivo aqui como seres humanos é evoluir para a maturidade espiritual e psicológica. Isto é o que agrada a Deus. Amar, servir e doar-nos pelos outros nos forçam a sair do egocentrismo. Amar aos outros nos faz sair de nós mesmos. Amar aos outros nos força a crescer.

— E isso começa com uma escolha — o sargento lembrou. — Intenções menos ações igual a nada. Temos que agir de acordo com o que aprendemos, porque, se nada muda, nada muda.

— Pode ser que eu tenha uma melhor do que essa, Greg — a diretora brincou. — A definição de insanidade é continuar a fazer o que você sempre fez, desejando obter resultados diferentes!

O grupo todo riu.

— Nosso tempo juntos terminou — disse Simeão, ficando sério de repente. — Aprendi muito esta semana e agradeço pelos dons e descobertas que cada um de vocês trouxe para o nosso grupinho.

— Eu inclusive? — o sargento perguntou em tom de dúvida.

— Principalmente você, Greg — Simeão respondeu com sinceridade. — Ao terminar, minha oração para cada um de vocês é pedindo que tenham avançado alguns pequenos passos em sua jornada como resultado desse tempo que passamos juntos. Pequenos passos podem não fazer muita diferença numa jornada curta, mas para a longa jornada da vida são capazes de colocar vocês num lugar completamente diferente. Boa sorte e que Deus abençoe cada um no caminho que têm pela frente.

Epílogo

Uma jornada de duzentos quilômetros começa com um simples passo. — PROVÉRBIO CHINÊS

OS SEIS PARTICIPANTES DO RETIRO almoçaram juntos antes de se despedir. As lágrimas rolaram livremente. Até o pregador e o sargento se abraçaram e riram alto.

O sargento sugeriu que nos encontrássemos para uma reunião dentro de seis meses — o que prometemos fazer. Greg também se ofereceu para ser o secretário do grupo e garantiu manter todos informados da data e local da reunião. O sujeito que mais parecia ter resistido ao retiro era o que não queria que ele terminasse.

Eu começava a compreender que as qualidades que mais me irritavam nos outros, em pessoas como o sargento, eram as qualidades de que eu não gostava em mim mesmo. Em Greg talvez fossem um pouco mais transparentes, mas ao menos ele era honesto e autêntico a respeito de quem era. Uma das muitas resoluções que tomei aquela semana foi de fingir menos e de trabalhar um pouco mais para ser autêntico com as pessoas. "Humildade", acho que foi assim que Simeão chamou.

— Espero que Simeão possa juntar-se a nós nessa reunião — a enfermeira propôs. — Não deixe de convidá-lo, Greg, está bem?

— Claro — o sargento prometeu. — Mas alguém sabe por onde anda Simeão? Eu queria muito me despedir dele.

Procurei Simeão pela propriedade, mas não o encontrei.

Peguei minha mala e saí do quarto para sentar-me no banco perto do estacionamento. Eu sabia que Rachel apareceria a qualquer momento, e senti um certo pânico. Eu tinha que me despedir de Simeão.

Deixei a mala e caminhei em direção à escada que levava ao lago Michigan. Lá embaixo vi a figura de um homem e desci as escadas, gritando: – Simeão, Simeão! – Ele parou e virou-se enquanto eu corria para ele.

Nós nos abraçamos e dissemos adeus.

– Não sei como agradecer a você por esta semana, Simeão – gaguejei sem jeito. – Aprendi coisas tão valiosas. Só espero que possa aplicar algo do que aprendi quando voltar para casa.

Simeão olhou profundamente no fundo dos meus olhos e disse: – Há muito tempo, um homem chamado Syrus disse que de nada vale aprender bem se você deixar de fazer bem. Você fará bem, John, estou certo disso.

Seus olhos me transmitiram a convicção de que eu sabia que faria bem, o que me deu esperança.

– Mas onde começar, Simeão?

– Você começa com uma escolha.

DEVAGAR SUBI os 243 degraus e me sentei outra vez no banco perto da mala, para esperar Rachel. O último carro tinha acabado de sair e o mosteiro estava deserto e silencioso. Sentei-me ouvindo o farfalhar das folhas secas agitadas pela brisa de outono que vinha do lago. Eu estava perdido em meus pensamentos.

Não sei quanto tempo passou até que o som distante de um carro aproximando-se me trouxe de volta. Pude ver um rastro de poeira seguindo nosso Mercury branco enquanto ele galgava o caminho de duas trilhas e entrava no estacionamento.

As lágrimas começaram a brotar de meus olhos e eu fiquei em pé, olhando além do lago Michigan pela última vez. Tomei uma decisão silenciosa.

Ouvindo a porta do carro bater, virei-me para ver uma Rachel sorridente correndo em minha direção. Ela nunca me pareceu tão bonita quanto naquele momento.

Rachel correu para os meus braços e eu a abracei longamente, até que ela se soltou.

– Que surpresa! – ela brincou. – Não consigo me lembrar da última vez em que eu soltei você primeiro. Que abraço bom!

– Apenas um primeiro passo em uma nova jornada – respondi, orgulhoso.

Conheça outros títulos da Editora Sextante

Bob Nelson
Faça o que Tem de Ser Feito – e não apenas o que lhe pedem

"Simples, inteligente e prático, este livro mostra aos empregados como atingir o céu e usar a iniciativa que não sabiam que estava lá. Acreditar no seu potencial é o futuro!"
Stephen Covey, autor de *Os 7 Hábitos das Pessoas Altamente Eficazes*.

O ambiente competitivo e o mundo globalizado exigem, hoje em dia, que os trabalhadores corram mais riscos e tenham mais iniciativa. Fazer o que precisa ser feito por sua própria conta, e não apenas seguir ordens, é a marca registrada da excelência profissional.

Com conselhos breves, diretos e surpreendentes, Bob Nelson mostra o que cada um de nós precisa fazer para assumir as rédeas do seu emprego, da sua carreira e da sua vida.

Tim Sanders
O Amor É a Melhor Estratégia

Ter um trabalho gratificante, ganhar o respeito e a amizade dos colegas, ser capaz de aprender sempre mais, fazer mais negócios, influenciar positivamente as pessoas – estes são os temas de *O Amor É a Melhor Estratégia*.

Tim Sanders apresenta neste livro os três pilares do sucesso e da realização profissional: conhecimento (que você acumula com sua experiência e, principalmente, através da leitura), rede de relacionamentos (os amigos e contatos que já possui, mas que tem de cultivar) e compaixão (o calor humano que é capaz de transmitir aos outros).

Margot Morrell e Stephanie Capparell
SHACKLETON – UMA LIÇÃO DE CORAGEM

Este livro revela a grandeza do homem que conseguiu transformar sua malsucedida expedição à Antártida numa história de resistência heróica. Ao conduzir todos os seus tripulantes em segurança para casa, depois de quase dois anos isolados no gelo, Shackleton se tornou um exemplo de liderança.

Usando sua lendária aventura como ponto de partida, as autoras analisam as estratégias do explorador e suas vitoriosas características de comando: autoridade, integridade, humor e compaixão. Sua história é um relato inspirador sobre como ajudar cada pessoa a alcançar o melhor de si mesma e realizar o que se pensava impossível.

Cheryl Richardson
VOCÊ PODE MUDAR SUA VIDA

Quantas vezes você já desejou ter uma vida melhor – que reflita mais a pessoa que você é, seu valores e anseios? Quantas vezes, no final de uma semana cheia, você já se deixou levar pela fantasia de largar tudo?

Sabendo que qualquer mudança profunda não ocorre de um dia para outro, Cheryl Richardson organizou neste livro uma poderosa agenda para ajudar você a transformar a sua vida de forma gradual e permanente, tratando de um tema fundamental para a sua felicidade a cada semana.

Eckhart Tolle
PRATICANDO O PODER DO AGORA

O Poder do Agora em pouco tempo já demonstrou ser um dos maiores livros espirituais escritos na atualidade. Ele contém uma força que vai além das palavras e pode nos conduzir a um lugar de grande serenidade, acima dos nossos pensamentos, um lugar em que os problemas criados por nossas mentes se dissolvem e onde descobrimos o que significa criar uma vida de liberdade.

Praticando o Poder do Agora é uma seleção cuidadosa de trechos extraídos de *O Poder do Agora*. Ele serve como uma excelente introdução aos ensinamentos do autor, além de mostrar, de forma objetiva, práticas específicas e chaves que revelam como descobrir e alcançar a graça, o bem-estar e a iluminação. Basta acalmar os pensamentos e olhar, no momento presente, o mundo diante de nós.

Domenico De Masi
CRIATIVIDADE E GRUPOS CRIATIVOS

"Este livro representa a síntese de todas as idéias que elaborei no decurso da vida, a propósito da mutação social, do trabalho humano, da criatividade, da latinidade, do ócio criativo. O meu desejo é que ele sirva para tornar os leitores mais felizes, mais conscientes de que a vida merece ser vivida, liberada, valorizada; mais decididos a remover as barreiras à criatividade e em satisfazer as próprias necessidades de introspecção, amizade, amor, lazer, beleza e convivência."

Domenico De Masi

Os 25 clássicos da Editora Sextante

Informações sobre os Próximos Lançamentos

Para receber informações sobre os próximos lançamentos da
Editora Sextante,
queira entrar em contato com
nossa Central de Atendimento, dando seu nome,
endereço e telefone para:

Editora Sextante
Rua Voluntários da Pátria, 45 – 1.404 – Botafogo
22270-000 – Rio de Janeiro – RJ
Tel.: (21) 2286-9944 – Fax: (21) 2286-9244
DDG: 0800-22-6306 (ligação gratuita)
E-mail: atendimento@esextante.com.br

Para saber mais sobre nossos títulos e autores, e enviar seus
comentários sobre este livro, visite o nosso site:

www.sextante.com.br

Impresso em papel Chamois Bulk
Alta Performance Dunas 90g/m² da
Ripasa S/A Celulose, fabricado em
harmonia com o meio ambiente.